# Oma's geheime liefde

# Colofon

ISBN: 9051793782
EAN9789051793789
1e druk, februari 2007


© 2006 Hetty Luiten, De Wilp


Dit boek is uitgegeven in de reeks Mijn Eigen Bruna Boek, door
uitgeverij Gopher in samenwerking met Bruna B.V.
Exemplaren zijn rechtstreeks te bestellen
via Internet: www.bruna.nl en www.gopher.nl
bij iedere boekhandel en rechtstreeks bij:
Gopher B.V.
Postbus 8018
3503 RA Utrecht
Tel.: 030-2905320
Fax: 030-2905310

# Oma's geheime liefde

Hetty Luiten

Eerder bij Gopher verschenen van Hetty Luiten:

- De vierdelige serie zelfstandig te lezen familieromans 'Verder dan de horizon', 'Voorbij de einder', 'In de verre verte' en 'Het oneindige dichterbij'.
- Het spannende verhaal 'De stalker'.
- De familieroman 'Onafscheidelijk?'
- Het gekke en grappige verhaal 'Het moederdagcadeau'.
- De trilogie 'Gevangen in een web' met de delen 'Verstrikt', 'Verward' en 'Bevrijd'.
- En de tweedelige serie familieromans 'Last van het verleden' en 'Open voor de toekomst'.

*ik hoorde je stem*
*je zei mijn naam*
*en herhaalde hem*
*met zo veel gevoel*
*zo veel*
*heerlijk*
*geluksgevoel*

*ik zweeg verbaasd*

*terwijl juist ik*
*jouw naam*
*had willen zeggen*
*roepen*
*schreeuwen*
*vol van evenveel*
*heerlijk*
*geluksgevoel*

*ja,*
*ik zweeg verbaasd*
*omdat ík het was*
*die jóu*
*gelukkig maakte*
*terwijl ik juist dacht*
*dat jíj*
*mij*

Monique keek opgewekt om zich heen. Waar zou ze eens beginnen? Het was geen leuke klus die ze voor de boeg had, maar ze zou zich er dapper doorheen slaan, had ze zichzelf opgedragen. Geen sentimenteel gedoe. Gewoon nuchter, zakelijk aan het werk gaan. Dat was de enige manier om oma's appartementje, zoals ze het zelf altijd noemde, leeg te halen. Veel tijd kon het niet in beslag nemen. De kleine huiskamer en de veel kleinere slaapkamer konden niet veel spullen bergen. Als ze dacht aan haar eigen huis dat ze vorig jaar met haar man had ingericht, de trots die ze voelde bij het uitkiezen van de meubels, de zithoek, de eethoek, het bubbelbad in de ruime badkamer, dan bekroop haar een triest gevoel. Ze zou tien van dit soort appartementjes nodig hebben om alles te kunnen plaatsen. Als dit ook haar voorland was... Niet aan denken nu. Oma Fenna was 88 geworden. Zelf was ze 33. Oma had geen bubbelbad meer nodig en ook niet de ruimte die Monique nu had. Oma was tevreden met een stoel en uitzicht op de auto's buiten. Tevreden gewéést. Ze was er niet meer. Verleden tijd. Stop! Stop met denken. Steek je handen uit je mouwen. Doorpakken. Haar vader en haar twee jaar oudere broer Peter, zouden straks komen om de meubels naar de kringloopwinkel te brengen. De kasten moesten dan leeg zijn, anders hadden ze niets weg te brengen. Alleen het kleine ladekastje. Dat zou Monique mee naar huis nemen. Niet omdat het antiek was, maar omdat het haar het meest van alles aan oma deed denken. Waarom eigenlijk? Ze gleed met een vinger over het bovenblad, keek naar de foto's die erop stonden, haar moeder, oma's dochter Laura dus, die al tien jaar geleden overleden was en waar oma nooit echt overheen gekomen was, de foto van het trouwen van Monique en Bart van vorig jaar, waar oma bij geweest was. Toen voelde ze zich nog goed en had iedereen de indruk gekregen dat ze de 100 wel zou halen. Dat was dus niet zo. Eigenlijk helemaal onverwachts was ze ziek geworden en nog onverwachtser was ze overleden. Monique zuchtte. 88 was een prachtige leeftijd, maar ze zou de oude vrouw toch missen. Ze had een beetje de plaats van haar moeder ingenomen nadat die was overleden. Het was ook een vreemd gevoel dat er nu een hele generatie weg was.

Waarom was dit kastje meer dan de rest met oma verbonden? In gedachten zag ze hoe oma een lade dichtdeed. Dat deed ze vaak als Monique op bezoek kwam. Alsof ze iets opborg wat verder niemand wat aanging. Aarzelend trok Monique een lade open. Dat hadden ze ook al gedaan op de dag dat oma overleden was. Zo hadden ze haar adressenboekje gevonden met de mensen die zij een rouwkaart had willen sturen. Monique vond een agenda, bladerde er gedachteloos in, zocht verder, vond kaarten, brieven, persoonlijke dingen. Ze moest ophouden. Ze kon dit kastje zo wel meenemen en het thuis bekijken, daar bepalen wat er weg kon en wat niet. Een klein fotoalbum met een trouwfoto van oma en opa, de opa die Monique niet eens gekend had.

In de derde la lagen drie boeken met een hard kaft, gebloemde boeken. Monique pakte er een en zag tot haar verrassing dat het een dagboek was! Had oma een dagboek bijgehouden? Haar hart begon sneller te kloppen. Dat was zeker interessant! Misschien zat er een boek in. Oma's leven door haar zelf verteld! Monique was freelance journaliste. Ze werkte voor een tijdschrift, maar daarnaast schreef ze korte verhalen, fictie, zelf verzonnen, maar waarom konden ze niet op waarheid gebaseerd zijn? Ze keek naar de laatste aantekening. Die was van drie dagen voor haar dood! Ze had echt ijverig alles opgeschreven wat haar bezighield en overkwam. *'Lief, ik voel dat het voorbij is. Mijn lichaam houdt het niet meer vol. Dit zijn mijn laatste regels en al krijg jij ze nooit te lezen, ik wil toch nog één keer schrijven dat ik van je houd, dat ik altijd van je gehouden heb, met mijn hele hart. Het ga je goed en ik zie je als je ook zover bent om de aarde te verlaten. Dan zullen we voorgoed verenigd zijn, zoals we in onze harten altijd al waren.'* Monique voelde een brok in haar keel, haar hart sloeg sneller. Wat waren dit voor zinnen? Aan wie schreef oma die? Niet aan haar moeder, want die had de aarde al verlaten. Maar ook niet aan opa, die haar immers al lang geleden was voorgegaan. Had oma een vriend waar zij niets van wist? Ze pakte het middelste dagboek en sloeg een willekeurige bladzijde open en las een willekeurige regel. Nee, ze las de regel die opviel, omdat hij gevlekt was. Tranen? *'Ik wist niet dat een hart voelbaar pijn kon doen, maar mijn verdriet is zo groot, dat ik lichamelijke pijn heb, een aanwijsbare zere plek onder mijn linkerborst. Het verrast me en het beangstigt. Zo veel hou ik van jou, dat ik lichamelijke pijn heb. Kan ik echt wel leven zonder jou?'* Ze keek naar de datum en zag dat de tekst dertig jaar geleden geschreven was. Dertig jaar! En nog schreef ze over hem drie dagen voordat ze sterven zou. Wie was deze man van wie ze hield?

"Nou, jij bent ook nog geen snars opgeschoten!"
Monique dacht dat haar hart echt ophield met slaan, zo schrok ze van de onverwachte stem. "Peter! Kan je niet aankloppen?"
"Aankloppen? Wat is dat voor onzin. Waar ben jij mee bezig?"
"Niets, niets." Ze klapte het boek dicht en stopte het weer in de derde la. "Dit kastje zou ik mee naar huis nemen, weet je nog?"
"Ja, dus ik snap niet waarom je juist dat aan het leeghalen bent."
"Ik ook niet, sorry. Ik had me zo voorgenomen om niet sentimenteel te worden." Ze knipperde verwoed met haar ogen. Over wie had oma het? Ze was toch al eeuwen alleen? Ze had geen vriend en niet gehad ook, althans niet voor zover zij het wist. Ze draaide zich om en liep op de grote kast in de kamer af. Lp's van eeuwen geleden, cd's die van recentere datum waren. "Ik neem die muziek ook wel mee naar huis. Misschien zit er nog iets moois tussen. Of wil jij ze hebben?"
"Die ouwe troep?" Peter schoot in de lach. "Echt niet!"
Monique haalde alles eruit, stapelde het bovenop het ladekastje en ging verder met het leeghalen van de kast. Peter kwam met zijn armen vol kleren uit de slaapkamer. "Die kunnen zeker wel naar het Leger des Heils?"
Monique knikte. "Ja, doe dat maar."
"Ha, jullie zijn al begonnen. Fijn!" Hun vader kwam de kamer in. "Valt zeker toch tegen? Het is echt onvoorstelbaar wat een mens

allemaal verzamelt in zijn leven."

"Nou, ik vind het juist triest," viel Monique uit. "Dit is alles wat er over is van oma's leven. Een kast, een stoel, een paar foto's. Waar is de rest waar ze van hield?"

"Ja, zeg, meer paste er toch niet in," zei Peter. "Dat is allemaal al weggedaan toen ze hierheen ging."

"Precies en dat vind ik afschuwelijk. Stel je voor dat jouw muziekinstallatie niet meekan als je hierheen verhuist."

"Die moet mee!" riep Peter uit. "Hoe oud ik ook ben, muziek zal ik altijd blijven draaien."

"Maar waar wou je al die cd-rekjes neerzetten? Je speakers? Je computer? Je verzameling kleine vrachtwagens?"

"Ja, zo kan die wel weer. Ik ga gewoon nooit in een bejaardentehuis wonen."

"Dat heb je niet voor het kiezen," mokte Monique. "Oma wilde misschien ook wel helemaal niet."

"Zij moest wel. Zij kon zich alleen niet meer redden," zei Peter. "Klopt en dat kan jou ook overkomen en kijk eens wat er dan van je leven overblijft."

"Jongens," riep vader, "hou op. Laten we opschieten. De kamer moet vandaag leeg."

Monique zuchtte eens diep. Dit was dus precies wat ze niet van plan was. Ze zou flink zijn en doorpakken, maar ze was de kluts helemaal kwijt. Kwam het door oma's dagboeken? Zodra ze thuis was, zou ze ze gaan lezen. Misschien zat er echt wel een boek in. Het leek haar al jaren geweldig een mooi boek te schrijven, maar ze had nog steeds geen goed onderwerp kunnen bedenken.

"Hallo, waar ben je nou weer met je gedachten?" riep Peter.

Ze keek geschrokken op.

"Ik vroeg of je soms nog handdoeken kon gebruiken of moeten die ook maar naar het Leger."

"Doe maar weg, ja. Ik heb er genoeg en allemaal in de kleur die bij de badkamer past."

Ze werkten een poosje zwijgend door. Peter en vader begonnen de meubels naar buiten te brengen en zetten ze voor de lift. De deur stond open en iedereen kon binnenkomen. Dat gebeurde dan ook.

"Hé, waar gaat u met die rollator naartoe?" Monique haastte zich de gang op.

De oude man keek haar met zijn kleine, priemende ogen verbolgen aan. "Die is voor mij."

"Helemaal niet!" Ze lachte hem vrolijk toe.

"Echt wel. Ze zei altijd tegen me 'Gerrit, als ik er niet meer ben, dan krijg jij mijn rollator' en nou is ze er niet meer, toch? Dus is ie van mij."

"Maar dat kan zomaar niet."

"Laat hem toch," bemoeide Peter zich ermee. "Wij hebben er niets aan of wilde je hem in de kamer zetten met planten erop?" Hij moest om zijn eigen idee lachen.

"Natuurlijk niet, maar hij is misschien van het tehuis of moet terug naar thuiszorg, weten wij veel."

"Daar zit wat in," zei hun vader. Hij liep op de man af en legde zijn hand op de rollater. "We nemen hem nu nog even mee, maar we gaan vragen of we hem u geven mogen."

"Dan krijg ik hem nooit. De directrice pikt alle rollators in, maar deze is voor mij. Dat heeft Fenna zelf gezegd!"

"We zullen zien," zei vader en nam de man de rollator af.

"Maar Fenna zei dat ik hem kon krijgen!" riep hij boos uit, maar hij sjokte toch de gang af en verdween uit zicht.

Peter lachte om de man, maar Monique had medelijden met hem. Ze voelde zich opeens naar bij de gedachte dat zij net zo oud zou worden. Zou ze dan ook ruzie maken om een rollator? Was dat dan het enige wat nog belangrijk was in haar leven?

"Sta je alweer te suffen?" vroeg Peter geïrriteerd. "Zo komen we echt niet klaar."

"Je hebt gelijk, maar het valt me plotseling zwaarder dan ik verwacht had."

"Dat snap ik," zei vader. "Dat had ik ook toen moeder overleed. Misschien was dat anders, want ze was natuurlijk wel mijn vrouw en ze had geen geheimen voor me, maar je haalt zomaar iemands spullen overhoop, dingen die altijd privé waren, daar zit je opeens in te rommelen. Ik voel me er ook niet prettig bij."

Monique knikte hem dankbaar toe. Ze dacht aan al het ondergoed van oma Fenna dat ze net in een plastic zak gedaan had. Peter lachte om de ouderwetse beha's, maar zelf moest ze er niet aan denken dat haar kinderen of kleinkinderen ook in haar spullen zouden zitten snuffelen en sorteren als het ooit zo ver was. Hè, bah, ze werd er helemaal melancholiek van. Daar moest ze mee ophouden. Ze had trouwens nog niet eens kinderen, laat staan kleinkinderen. Ze had haar hele leven nog voor zich. Ze kon maar beter iets van Peters nuchterheid overnemen. Die leek nergens last van te hebben en werkte stug door.

Ze diepte een schoenendoos op, die verborgen leek in het achterste hoekje op de bodem van de kast. Verbaasd haalde ze er een paar heel hooggehakte, zwarte schoenen uit.

"Wow, sexy, zeg!" riep Peter bewonderend uit. "Waar haal je die vandaan?"

"Van oma," zei ze weifelend.

"Dat geloof je toch zelf niet. Mag ik die hebben? Wedden dat Daphne daar heel happy mee is. Naaldhakken van tien centimeter. Ik hoop dat ze die voor me dragen wil. Krijgt ze nog langere benen van."

Uiteindelijk lukte het ze toch nog om het hele appartementje die dag leeg te krijgen. Peter had verschillende keren heen en weer gereden tussen kringloopwinkel, Leger des Heils en bejaardentehuis. Nu stond er nog één hele grote stapel die mee zou naar Monique. Het ladekastje met inhoud, alle muziek van oma, de foto's die aan de muur gehangen hadden, een schilderij met een vuurtoren en een paar lijstjes met mooie plaatjes en alvast diep verborgen in Moniques eigen tas de drie dagboeken van oma. Ze kon niet wachten tot ze thuis was, want de met de hand geschreven teksten hadden haar belangstelling meer dan gewekt!

"Het is toch gewoonweg schandalig dat ze daar niets aan doen op school. Misdadig vind ik dat."

Monique schrok op door de plotselinge felheid in de stem van de vrouw die tegenover haar zat. Waar kwam die opeens vandaan? Had ze iets gemist? Ze wierp een blik op haar notitieblok, schreef het woord 'misdadig' op en probeerde zich te concentreren op het interview. *Lang nadat je weg was, brandde mijn huid nog, gloeide mijn lichaam, voelde ik je handen alsof je er nog was.*

"Vind je ook niet?" vroeg de vrouw.

Monique knikte wat. Als interviewster hoorde ze haar mening voor zich te houden. Ze hoorde alleen maar te luisteren en vooral de juiste vragen te stellen. Het moest het verhaal van de vrouw worden, het verhaal van de moeder wiens kind op school gepest werd. Ze wist echter totaal niet waar haar vraag aan Monique op sloeg. Ze was er niet met haar gedachten bij. Dit ging niet goed! Ze haalde eens diep adem, deed alsof ze wat opschreef en keek de vrouw vragend aan. Ze had al zo veel mensen geïnterviewd, ze moest dit toch bijna op de automatische piloot kunnen, maar die piloot hield zich ongevraagd met andere dingen bezig. Oma Fenna…

Ook toen Monique een paar uur later weer thuis was, lukte het haar niet om zich te concentreren. Ze keek naar het beeldscherm van haar computer, maar begreep niet goed waar de tekst over ging.

'Anouk (11) werd gepest op school.' "Jammer genoeg weet ik nog steeds niet waarom," vertelt Anouks moeder. "Ze was niet anders dan andere kinderen, toch pestten ze haar. Om onbenulligheden. De kleur van haar haar, haar gewicht, om haar snelheid. Ze was er altijd als eerste bij als ze tikkertje deden. Dan lachten ze om haar. Ze lachten haar uit. Haar lerares zei dat ze er niets van merkte, haar was nooit iets opgevallen. Anouk zou wel fantaseren. Maar

dat was niet zo! Ze werd buitengesloten, ze hoorde er niet bij."
Monique las de tekst keer op keer door. Ze was er niet tevreden
mee. Het kon beter. Zíj was beter. Normaal gesproken dan. Als
ze niet constant aan de dagboeken van haar oma moest denken,
waarvan ze er nu een helemaal uitgelezen had.
Opeens greep ze de telefoon en belde ze de hoofdredactrice van
het tijdschrift waar dit interview voor was. "Met Monique. Zeg,
kan je me vast een aantal adressen in het voren geven?"
"Hoezo?"
"Ik wil een paar weken vrij hebben, dus ik wil nog deze week een
aantal interviews doen, zodat jij er toch elke week een van me
krijgt."
"Wat is dat voor onzin?"
"Onzin? Ik heb gewoon even tijd voor mezelf nodig."
"Ben je overspannen?"
Monique schoot in de lach. "Echt niet! Ik voel me te gek, maar ik
wil…" Ze aarzelde. Zou ze het vertellen?
"Ja?"
"Ik wil iets voor mezelf schrijven en daar heb ik tijd voor
nodig."
"Voor jezelf? Ga je een eigen blad uitgeven?"
"Natuurlijk niet. Ik dacht meer aan… aan een boek."
"Wou je een boek gaan schrijven?" De redactrice klonk alsof ze
het in Keulen hoorde donderen.
"Ja, is dat zo raar?" zei Monique gepikeerd.
"Nee, dat heb ik ook al tig-keer bedacht, maar dat kost tijd. Veel
tijd."
"Precies en daarom wil ik een paar weken vrij zijn. Zonder
verplichtingen, snap je. Dus als ik nu een paar adressen van je
krijg van mensen die je door mij geïnterviewd wilt hebben…"
"En die raffel je dan af zeker."
"Hè, doe niet zo flauw. Heb ik ooit slecht werk geleverd?"
"Oké, ik stuur je de gegevens wel per mail. Je bent nu bezig met
een moeder van een gepest kind?"
"Ja, meer heb ik niet. Als ik er vier bij kan krijgen, zou dat mooi

zijn."

"Ik mail ze."

"Bedankt. Geweldig!" Monique verbrak opgelucht de verbinding. Als het haar lukte om deze week totaal vijf interviews te doen en ook nog haar maandelijkse column voor een ander blad te schrijven, zou ze daarna vier hele weken vrij kunnen zijn. Was vier weken genoeg voor een boek? Ze wist het niet, maar vier weken moest in elk geval genoeg zijn om te zien waar ze toe in staat was.

Eigenlijk had ze andere plannen gehad. Ze had twee hele leuke ideeën voor een artikel, maar dat had ze nog aan niemand verteld en daar zat dus ook niemand op te wachten. Oma's verhaal kriebelde zo erg, dat ze wist dat ze die andere ideeën toch niet uitwerken kon. Het zou al moeilijk genoeg zijn om de vijf interviews af te maken, maar er moest ook brood op de plank komen. Gelukkig had Bart een vaste baan, maar ze waren eraan gewend dat ook Monique geld in het laatje bracht en ze was professioneel genoeg haar gedachten aan oma Fenna aan de kant te zetten, toch?

Weifelend keek ze naar het beeldscherm. Ze schudde haar hoofd. Nee, zo professioneel was ze de hele dag nog niet geweest. Ze had slecht geluisterd naar de vrouw die ze 's morgens had geïnterviewd en ze had veel te weinig aantekeningen gemaakt! Maar nu ze wist dat ze na deze week vier hele weken vrij zou zijn, moest het lukken om oma even aan de kant te zetten!?

Toch bladerde ze onbewust in haar adressenboekje op zoek naar het adres van haar vaders werk. Ze toetste het nummer in.

"Vader? Met Monique."

"Is er iets?" Hij klonk geschrokken en dat was logisch. Ze belde hem immers nooit op zijn werk.

"Nee, kalm maar, niets ernstigs. Ik vroeg me alleen af wat jij van oma Fenna weet?"

"Hoe bedoel je?"

"Nou, waar ze geboren is, hoe haar jeugd was, dingen van vroeger."

"Tja, dat kan je echt beter aan oom Ben vragen, maar waarom?"
Even zweeg Monique. Kon ze haar vader over haar plannen
vertellen? Hij zou het niet begrijpen, omdat hij de dagboeken
niet kende en zelfs als hij ze kende, zou hij het misschien stom
vinden. "Zomaar," zei ze aarzelend.
"Niks zomaar. Zit er een artikel voor je in?"
Ze glimlachte. Haar vader kende haar goed. "Misschien."
"Nou, dan moet je moeders broer maar bellen. Je moeder heeft
me natuurlijk wel van alles verteld en oma Fenna zelf ook, maar
ik denk toch echt dat oom Ben meer weet dan ik."
"Heb jij zijn nummer?"
"Jawel, maar niet van zijn werk. Je zult echt tot vanavond moeten
wachten als hij thuis is."
Moniques gezicht betrok. Ze had geen zin om te wachten. Ze
was ongeduldig, gehaast. Ze begreep echter wel dat haar vader
gelijk had. Oom Ben zou heus geen uren met haar willen praten
terwijl hij op zijn werk zat. "Oké, ik wacht wel tot vanavond."
Plotseling zag ze de tekst haarscherp voor zich staan: 'Misdadig
noemt Anouks moeder het' "Dat een lerares er niets tegen wil
ondernemen dat een kind van 11 gepest wordt op school, vind ik
misdadig. Zelfs als ze vindt dat mijn dochter fantaseert, dan nog
is het haar plicht om uit te zoeken wat er aan de hand is!"
Geconcentreerd en zich niet meer van de buitenwereld bewust,
schreef Monique het interview op dat ze die dag gehouden had.
Het werd een vlammend betoog tegen pesten op school, waarin
duidelijk naar voren kwam hoe beschadigend dit was en hoe lang
het kon duren voor een kind daar overheen groeide, áls je daar al
overheen groeide. Volkomen voldaan verstuurde ze het interview
drie uur later aan het tijdschrift en vond ze in haar mailbox de
adressen van de andere mensen die ze mocht interviewen. Ze
bekeek ze vluchtig. Er zaten interessante onderwerpen bij, toch
was er maar een onderwerp het allerinteressants. Ze toetste het
telefoonnummer in van oom Ben en wachtte gespannen tot hij
opnam.
"Oom Ben, met Monique. Ik heb stapels vragen, kan ik straks

even langs komen?"

Hij schoot in de lach. "Aan mij?"

"Ja, je bent de zoon van oma Fenna en omdat moeder er niet meer is…"

"Wat hebben oma Fenna en Laura ermee te maken?" Hij klonk verward.

"Het gaat over oma. Ik heb vragen over oma. Toe, kan ik straks langskomen?"

"Mag ik eerst eten?"

Eten? Ze wierp een blik op de klok. Lieve help, het was half zes geweest en ze had nog niets op het fornuis staan, terwijl het haar week was om te koken. "Natuurlijk, natuurlijk. Hoe laat zal ik dan komen?"

"Zeven uur lijkt me een mooie tijd," zei hij.

"Tot dan!" riep Monique juichend. Ze toetste meteen een ander nummer in. "Dag, met Monique. U hebt zich opgegeven voor een interview. Zou het toevallig uitkomen als ik morgenochtend langskom? Ja? Geweldig. Fijn dat het al zo snel kan. Tot morgen dus!" Het zat haar mee en blij met deze twee afspraken greep ze het dagboek van oma Fenna, waar ze in bezig was. Maar ze hoorde geluiden van beneden komen. Bart! Hij was al thuis. Ze haastte zich haar werkkamer uit, de trap af naar beneden. Ze vond hem in de huiskamer, liep op hem af, kuste hem vluchtig en lachte verontschuldigend. "Schat, ik heb geen tijd gehad om te koken, wil jij iets van de Chinees halen en ik moet om kwart voor zeven weg." Ze wachtte niet eens op antwoord, maar ging meteen weer naar haar werkkamer boven en zocht de bladzijde op waar ze gebleven was. Ze voelde hoe de woorden van oma haar opnieuw grepen, bezit van haar namen alsof ze niet van plan waren haar ooit weer los te laten.

*de geborgenheid*
*die ik*
*bij jou*
*voelde*

*zit gebrand*
*in heel mijn lijf*

*en ik voel me*
*voor het eerst*
*geborgen*
*bij*
*mezelf*

Dat Bart haar vijf keer moest roepen omdat er eten op tafel stond, daar kon ze later alleen maar om lachen. "Het is zo adembenemend mooi, Bart, zo ontroerend en overweldigend en verdrietig tegelijk. Als jij het zou lezen zou je ook niet horen dat ik je riep!"

Zoekend keek Monique om zich heen naar het juiste nummer. De straat had ze gemakkelijk gevonden, maar de nummers zaten wat ingewikkelder in elkaar. Het moest een flatgebouw zijn, had oom Ben de avond ervoor verteld, een flat waar oma zich niet echt gelukkig had gevoeld. Het toeval wilde dat de vrouw die Monique net geïnterviewd had, ook in Vlaardingen woonde, net als oma in het begin van haar huwelijk gedaan had. Later was ze naar Enkhuizen verhuisd met haar gezin en daar was Monique ook geboren en ze woonde er nog steeds. Vlaardingen lag dus niet naast de deur en ze was er zelfs nog nooit eerder geweest.

Ergens voelde het vreemd om nu, na oma's dood, nog te gaan zoeken naar het huis waar ze gewoond had, maar tegelijk wist ze dat ze het nodig had om een goede indruk te krijgen van oma's leven. Het was trouwens het tweede adres waar oma in haar huwelijk gewoond had. Het eerste wist oom Ben niet meer, maar daar waren ze gelukkig niet lang gebleven, zei hij. Dat was een zolderverdieping geweest, eigenlijk niet meer dan één grote kamer, waar ze met zijn vieren in moesten bivakkeren, oma, opa, Moniques moeder Laura en oom Ben.

Ze parkeerde voor een flatgebouw en stapte uit. Ze keek om zich heen en probeerde zich in te denken hoe de straat er bijna zestig jaar geleden uitgezien moest hebben. Toen was het misschien een nieuwbouwwijk, nu zag alles er behoorlijk verwaarloosd en kaal uit. Ze zag kapot gescheurde vuilniszakken, bierflesjes die in stukken waren gevallen of getrapt, muren vol met graffiti. Er reed een bus door de straat. Ze schrok van het lawaai, omdat hij vlak langs haar reed en ze begreep waarom oma zich hier niet gelukkig gevoeld had! Tegelijk schoot ze om zichzelf in de lach. Reden er zestig jaar geleden al bussen? Voor haar gevoel was het het tijdperk van de paarden en wagens.

Ze vond het huisnummer en ging het portiek binnen. Ze trok haar neus op voor de stank. Waarom moesten mensen er toch zo'n puinhoop van maken? Het was toch niet nodig om in een portiek te gaan staan plassen? Interesseerde het sommige mensen dan echt niet hoe ze woonden?

Ze liep de trappen op naar de derde verdieping en zag daar opnieuw het nummer staan. Ze drukte op de bel en al snel deed er een jongetje van een jaar of vier open.

"Hallo! Is je moeder ook thuis?" vroeg Monique.

"Mamma!" riep het kind. Er kwam nog een kindje aan. Niet eens zo heel veel kleiner. En er verscheen een vrouw in beeld met een baby op haar armen. Het kindje zag er ongewassen uit en de vrouw droeg smoezelige kleren, maar Monique deed alsof ze het niet zag. "Dag, ik heet Monique. Mijn oma heeft vroeger in deze flat gewoond en ik zou zo graag even binnen kijken."

"Binnen kijken?"

"Ja, hoe de indeling is, hoeveel kamers er zijn en of er een balkon is."

"Nee," zei de vrouw, waarna ze iets onverstaanbaars tegen de jongen zei, die meteen de deur voor de neus van Monique dichtdeed. Monique lachte. Daar stond ze dan. Maar het gaf niet. Oom Ben had genoeg verteld en zelf had ze genoeg gezien toen ze door de geopende deur naar binnen had gekeken. Ze liep de trappen weer af en buiten aangekomen keek ze naar boven. Vroeger moesten ze toch best een aardig uitzicht gehad hebben. De flatgebouwen die aan de overkant stonden en nog hoger waren, zagen er namelijk een stuk nieuwer uit. Ach, wat deed het er toe. Het boek zou immers niet over oma's jeugd gaan, maar over oma's geheime liefde. Het was puur en alleen om haar in een omgeving te kunnen plaatsen, zodat Monique haar beter begrijpen kon en zich beter in haar kon inleven. Trouwens, niet alles hoefde exact hetzelfde te zijn, niet waar? Ze liep weer op haar auto af, zag er nog net een kat vanaf springen en stapte lachend in. Ze kon zich goed voorstellen waarom oma zich in Enkhuizen prettiger gevoeld had. Het was er zo veel rustiger en zo veel kleiner en je was sneller op het platteland, het land waar oma oorspronkelijk vandaan kwam.

Monique reed naar huis en ondertussen gingen haar gedachten van de geïnterviewde vrouw naar oma en de verhalen van oom Ben. Het verhaal van de vrouw was niet mooi geweest. Ze was jarenlang mishandeld door haar man en pas kort geleden in staat geweest bij hem vandaan te gaan. Voor vrouwen die niet mishandeld werden, was het vaak onbegrijpelijk dat een vrouw het maar liet gebeuren en er niet vandoor ging, maar Monique had vanmorgen een goed inzicht gekregen in het hoe en waarom. Deze vrouw was in elk geval geestelijk zo afgezwakt door de mishandelingen dat ze gewoon geloofde wat haar man zei, dat ze niets waard was, dat ze zonder hem niet leven kon, dat niemand anders haar hebben wilde. Bovendien had haar vader haar moeder ook altijd geslagen en eigenlijk had ze tot voor kort gedacht dat het normaal was dat een man zijn vrouw sloeg. Nou nee, niet normaal, dat was het juiste woord niet, maar wel acceptabel, je praatte er niet over, je slikte het. Monique zuchtte zachtjes. Het was intens triest dat er zulke mannen waren en dat de vrouwen de kracht en de moed niet bezaten om eerder bij hen weg te gaan.

Het verhaal van oom Ben was ook niet al te optimistisch geweest. Hij wist dat oma Fenna altijd terugverlangd had naar de boerderij van haar ouders en hij wist ook dat oma en opa nooit echt van elkaar gehouden hadden. Hoewel oom Ben nu al 62 was, deed het hem nog verdriet. "Ze moesten trouwen," had hij zuchtend gezegd. "Oma raakte zwanger."

En dan het verhaal van oma, die toch haar geluk gevonden had, maar het uiteindelijk niet krijgen kon.

*Ik hou van je, weet je. Droom van je, droom dat we altijd samen zijn. En dat kan niet, mag niet, ik weet het heel goed. Maar je bent zo lief, zo oneindig lief. Ik hou van je, wil je. Voor altijd.*

Monique merkte dat er een traan over haar wang liep. Het was gewoon niet eerlijk. De een trouwde met een man die sloeg, de ander omdat ze zwanger was geraakt en toen ze wel de man van haar leven vond, mocht het niet. Ze veegde de traan weg en moest om zichzelf lachen. "Jij boft maar!" zei ze hardop tegen zichzelf en ze knikte. Ja, zij had een man die van haar hield en haar niet sloeg, maar altijd streelde en liefkoosde en het was een man van wie ze zelf ook zielsveel hield. Hij had niet eens gemopperd toen hij gisteravond onverwachts voor het eten moest zorgen. Oeps! Bijna vergeten. Nog net op tijd dacht ze eraan inkopen te doen, want de week was nog lang niet voorbij en het was nog steeds haar beurt om te koken.

Toch zat ze een half uur later alweer achter haar computer en staarde ze naar de titel van het nieuwe interview: 'De vrouw die mishandeld werd' en wist ze dat ze oma echt even weg moest duwen. Werk gaat voor het meisje, oma, dacht ze glimlachend en toen kwam de inspiratie en vloog het interview eruit.

Aansluitend maakte ze afspraken met de drie andere vrouwen. Twee werkten er overdag en die moesten dus 's avonds geïnterviewd worden, maar dat was voor Monique geen probleem. Zij was baas over haar eigen tijd en nu was het tijd om aan het eten te beginnen.

"Dag schat! Verrassend," riep Bart uit toen hij de keuken in kwam.

"Hoezo verrassend? Het is toch mijn week!"

"Ik dacht dat je weer met je neus in je oma's dagboeken zou zitten."

"Straks, maar ik realiseerde me vandaag weer eens hoezeer ik met jou bof, dus dat mag ik niet op het spel zetten." Ze glimlachte. "Hoewel..."

"Ja?"

"De komende vier weken mag jij elke avond koken."

"Vier weken?"

"Ja, maar alleen voor jezelf, want ik ben bang dat ik niet aan eten toekom."

"Ga je dan echt een boek over je oma's geheime liefde schrijven?"

"Ja, ik voel dat ik het moet. Het is gewoon een obsessie voor me. Ik kan niet laten in haar dagboeken te lezen. Ik begin zelfs steeds weer overnieuw. Haar woorden boeien me zo, het is alsof ik naar een romantische film zit te kijken."

"Maar met een slechte afloop."

"Hm, dat weet ik nog niet zeker."

"Niet? Maar ze kreeg hem toch niet?"

"Moet je alles krijgen wat je hebben wilt?" Ze keek hem ernstig aan.

"Misschien niet nee, maar het kan toch geen romantische film zijn als hij er niet bij is."

"Ik krijg de indruk dat oma geleerd heeft toch gelukkig te zijn."

"Zonder hem?"

"Hij was er altijd."

"Je praat in raadselen," zei Bart lachend, "maar ondanks dat, hou ik van jou." Hij kuste haar liefdevol.

"Mooi, zo, dan mag jij straks de tafel afruimen en de afwasmachine aanzetten."

## Haar gevecht - Hoofdstuk 1

Fenna was nog maar vijftig. Toch stond ze al aan het graf van haar man. Haar ogen waren betraand en ze zag de wereld door een waas. De hele begrafenis was trouwens als in een waas aan haar voorbij gegaan. Ze kon het gewoon niet bevatten dat Kees er niet meer was. Ze kon het niet geloven ook. Het was zo abrupt gegaan, zo van het ene op het andere moment.

Ze hoorde de dominee een gebed uitspreken, maar de woorden drongen niet tot haar door. Ze zag meelijwekkende blikken in de ogen van de mensen rond het graf, maar begreep niet echt dat ze voor haar bedoeld waren. Ze stonden er allemaal. Hun families, kinderen, broers, zussen. Hun vrienden, die van haar en die van Kees, aparte vrienden, gezamenlijk vrienden. Buren. Maar ze kon niet geloven, wilde niet geloven dat ze er waren om Kees te begraven.

Iemand pakte haar bij haar elleboog. "Kom," zei een zachte stem. "We gaan."

Ze keek naar het graf, het vers gedolven graf, de zwarte aarde ernaast, de kist die er boven hing. "Nee," zei ze. "Nog niet. Het is nog niet af."

"Ze laten hem zakken als we weg zijn," zei de stem. "Kom, Fenna, het is beter als we gaan."

"Nee, als hij dood is, moet hij begraven worden." Ze keek opeens fel naar de mannen van de begrafenisonderneming die zich bescheiden hadden teruggetrokken. "De kist moet naar beneden," zei ze.

De mannen kwamen er aan. "We hadden andere instructies," zei een van hen.

"Het is mijn man," zei ze. "Als jullie zeggen dat hij dood is, dan moet de kist..."

"Moeder, rustig maar. Het is al goed." Laura kwam op haar af.

Ze knikte naar de begrafenismannen. Langzaam zakte de kist de diepte in. Fenna bukte zich, greep een handje zwarte aarde en gooide het op de kist. "Dag, Kees, rust in vrede," was alles wat ze nog wist te zeggen. Toen liet ze zich wegvoeren door de man die haar elleboog vasthield. Een vriend, die al jaren een vriend des huizes was.

"We gaan koffie drinken," zei hij en bracht haar naar een zaal in het uitvaartcentrum dat bij de begraafplaats hoorde. Ze keek hem aan. "Wat moeten we hier?"

"We gaan samen koffie drinken," herhaalde hij geduldig.

"Maar Kees is er niet meer."

"Daarom juist. Fenna, alsjeblieft, probeer het te begrijpen."

"Dat doe ik ook, maar ik kan het niet. Oh, Thom, waarom moest Kees dood?"

Fenna was geboren in 1918. Ze had geen gemakkelijk leven gehad. Het woord armoede was haar niet vreemd. Eten was er wel altijd genoeg - haar ouders hadden een boerderij - maar geld voor nieuwe kleren of voor een fiets, dat was er in haar jeugd niet bij. Hard werken, meewerken op de boerderij, dat had ze ongeveer vanaf haar geboorte gedaan. In de Tweede Wereldoorlog raakte ze zwanger van Kees, die tien jaar ouder was en bij hen zat ondergedoken omdat hij niet naar Duitsland wilde. Er was geen sprake van liefde tussen hen. Het was ook nooit hun bedoeling geweest. Het was gebeurd in een tijd die mensen dichter naar elkaar toe dreef, omdat je nauwelijks nog wist wie je wel of wie je niet vertrouwen kon. Ze trouwden in het geheim. Niemand mocht immers weten dat Kees daar woonde. Ze werd uitgelachen, bespot, toen Laura in 1943 geboren werd, uitgemaakt voor ongetrouwde moeder, slet. De mensen hadden hun oordeel snel klaar. Het had Fenna echter wel wat harder gemaakt dan het onschuldige, zachte meisje dat ze voor die tijd was. Een jaar later kregen ze een zoon, Ben.

Na de oorlog bleven ze nog een aantal jaren op de boerderij van haar ouders wonen, die wel een paar goede en vooral goedkope krachten konden gebruiken. Kees kon echter niet wennen op het platteland en in 1949 verhuisden ze naar een zolderverdieping in Vlaardingen, de geboortestad van Kees. Fenna vond het er afschuwelijk. De drukte in de straten, de vele mensen om haar heen. Ze kon er soms echt gek van worden en ze vluchtte regelmatig met de kinderen voor een week naar haar ouders op de boerderij in Brabant.

Na een half jaar werd hen een flat aangeboden. Een kans die ze met beide handen aangrepen. De flat was splinternieuw en had drie kamers en dat was een ware luxe vergeleken met hun verblijf op de zolderverdieping. Fenna genoot ervan de flat leuk en gezellig in te richten en langzaam begon ze zich toch iets meer thuis te voelen in de stad. Ze waren lid van een kerk en op die manier kregen ze er ook wat vrienden en Fenna een paar eigen vriendinnen. Verder zat ze veel achter de naaimachine. Ze kon er echt van genieten om nieuwe kleren voor haar kinderen te maken, vooral omdat er eindelijk meer keuze in stofjes begon te komen. Als ze terugdacht aan haar eigen 'mooie' jurk, die van de keukengordijnen gemaakt was, kon ze intens gelukkig zijn met de lap stof die ze op de markt bemachtigd had.

Kees had vast werk, maar verdiende niet veel. Hij was stratenmaker en had altijd genoeg te doen, want al was de oorlog al een paar jaar voorbij, er was nog steeds veel te herstellen of opnieuw te bestraten. Fenna was blij dat hij er overdag niet was en dat de werkweek toen nog uit zes dagen bestond, want thuis was Kees niet echt aangenaam. Hij dronk graag zijn biertje, kleedde zich nooit om als hij thuiskwam van zijn werk en at zijn eten altijd met vieze handen. Regelmatig vroeg hij vrienden bij hen thuis en moest Fenna draven met koffie en bier en als ze niet vlug genoeg was, snauwde hij haar af.

Hij sloeg haar nooit en echt dronken werd hij ook nooit, maar lief deed hij ook steeds minder tegen haar. Ze voelde zich steeds eenzamer worden in haar eigen huis. Ze hield van haar kinderen, die waren haar alles en ze was dolgelukkig dat ze die gekregen had, maar van de stad en van Kees leerde ze nooit echt houden.

In 1959 stond Kees onverwachts werkeloos op straat. Het bedrijf waar hij werkte was failliet gegaan. Niemand van zijn collega's en ook Kees zelf niet, had het aan zien komen. Het was een grote schok. Fenna was juist een naaicursus gaan volgen om nog mooiere kleren te kunnen maken, maar ze moest er ogenblikkelijk mee stoppen, omdat er geen geld meer voor was. Ook voor lapjes stof was al gauw geen geld meer en hoewel Fenna heel goed was in zuinig zijn, beleefden ze een erg zware periode. Kees ging weliswaar elke dag op zoek naar werk, maar niemand bleek nog op een stratenmaker te zitten wachten.

Tot ze via via te horen kregen dat er in Enkhuizen mensen nodig waren bij een metaalfabriek. Er stonden zelfs kleine arbeidershuisjes leeg! Ze waren geen van beiden ooit in Noord-Holland geweest, maar hun vrienden Thom en Marijke hadden een auto en boden aan er op een zondag naartoe te rijden. Het was nog verder weg van Brabant en dat deed Fenna wel verdriet, maar Enkhuizen was zo veel kleiner dan Vlaardingen en er waren zo veel weilanden in de directe omgeving, dat Fenna meteen al wist dat ze zich daar veel prettiger zou gaan voelen.

Kees kreeg de baan, hij verdiende er zelfs meer en drie jaar later konden ze naar een groter huis verhuizen, nam Kees rijlessen en kochten ze een tweedehands auto, waar zelfs Fenna trots op was. Ze hield nog steeds niet van hem en ze wist zeker dat dat wederzijds was, maar hij was haar man en het kwam niet in haar op bij hem weg te gaan. Zo was ze niet opgevoed en er was immers ook geen reden om hem te verlaten? Ze was niet gelukkig met hem, maar hij was de vader van haar kinderen en ze was gewend aan hem. Hij zorgde voor het geld en zij voor het huishouden. Eigenlijk hadden ze het prima voor elkaar.

Dat was dan ook de reden waarom ze totaal instortte toen Kees in 1968 overleed. Zestig was hij toen en Fenna vijftig. Laura was vijfentwintig en al drie jaar getrouwd, Ben was vierentwintig en was net een maand ervoor getrouwd en had het ouderlijk huis dus ook verlaten. Plotseling stond Fenna helemaal alleen, had ze niemand meer.

"Wij zijn er toch nog," zei Thom tegen haar na de begrafenis. "Marijke en ik laten je niet in de steek."

"Maar jullie wonen zo ver weg!"

"We kunnen schrijven en we hebben een auto. Wij kunnen komen en trouwens, er rijden ook treinen naar Vlaardingen."

Fenna knikte, maar ze wist dat iedereen straks naar huis zou gaan en dat ze alleen achter bleef. Misschien dat Laura een paar dagen bij haar wilde komen wonen, maar het zou in elk geval slechts voor tijdelijk zijn. "Ik heb niemand meer om nog voor te zorgen," zei ze zachtjes snikkend.

Thom zei niets, want dit was waar en hij wist ook niet hoe hij haar troosten moest.

"Hoe moet ik nou verder, Thom? Wat moet ik doen?"

Hij legde zijn hand op de hare en keek haar warm aan. "Daar weet ik wel wat dingen op, maar die wil je nu toch niet horen."

"Hoezo?"

"Je zou zelf autorijles kunnen nemen. Je zou naar school kunnen gaan, iets leuks leren, een taal of heel wat anders. Je zou vrijwilligerswerk kunnen gaan doen. Echt, Fenna, je hoeft je niet te vervelen, maar ik begrijp goed dat je hoofd daar nu niet naar staat. Je moet eerst leren omgaan met het feit dat je alleen bent."

"Ik wil naar huis." Marijke was bij hen komen staan. "Ik heb er genoeg van om hier rond te hangen."

"Marijke," zei Thom met een nors gezicht. "We zijn hier voor Fenna."

"Jawel, maar we zijn nu lang genoeg geweest. Ik ben moe en we moeten dat hele eind nog terugrijden."

"Dat stelt toch niets voor. Fenna is vanaf nu alleen, dat is erger dan zo'n stuk rijden."

"Fenna is gezond. Zij is nooit ziek. Ze heeft niets om over te klagen."

"Marijke!" Hij keek haar geërgerd aan, maar haalde toen zijn schouders op. Fenna wist hoe Marijke in elkaar zat, dat ze altijd ziekelijk was en de aandacht opeiste en zichzelf in het middelpunt van de belangstelling plaatste. Hij stond op, boog zich naar Fenna toe, drukte een kus op haar wang en zei: "Ik laat snel van me horen, Fenna. We laten je echt niet in de steek."

Ze keek hen na. De vrouw op wie ze niet echt gek was, omdat ze altijd klaagde, negatief en pessimistisch was en de man, die precies het tegenovergestelde was en voor de zoveelste keer vroeg ze zich af hoe die twee elkaar toch hadden kunnen vinden.

"Waar ben jij mee bezig?" Bart keek verbaasd om zich heen in de werkkamer van Monique.

"Hé, hallo, ben je al thuis? Ik zoek naar meer gegevens over Thom."

"Over wie?"

Monique lachte en haalde haar schouders op. "Ik heb hem Thom genoemd. Vind je dat een mooie naam?"

"Wie heb je Thom genoemd?"

"Die geheime liefde van oma. "

"Aha, dus je bent begonnen aan je boek?"

"Ja, het eerste hoofdstuk is al klaar, maar nu gaat het pas echt beginnen."

"Wat bedoel je?"

"Hoe het gekomen is dat ze verliefd werden. Hoe is dat gebeurd en waarom?"

Bart schoot in de lach. "Verliefdheid gebeurt gewoon, dat overkomt je."

"Hm," zei Monique, terwijl ze ijverig bleef studeren op de stukjes papier die om haar heen lagen.

"Wat ben je toch aan het doen?"

"Ik las in oma's dagboeken dat ze mooie kaarten van hem gekregen had en dat ze die had ingelijst. Ik had toch alles wat er bij haar aan de muur hing meegenomen. Nou, ik heb nu alle plaatjes uit de lijstjes gehaald en op sommige is nog net een woord te lezen. Kijk." Ze gaf hem een stukje van een ansichtkaart. "Ik geloof echt dat hier de eerste letter van zijn naam op staat."

Bart onderzocht de letter en knikte. "Zou kunnen, maar het kan net zo goed de L van Liefs zijn."

"Dus je vindt het ook een L?"

"Ja, dat is eigenlijk wel duidelijk."

"Mooi, maar ik kan geen L vinden in oma's adressenboekje. Nergens staat een naam die met een L begint, niet bij de voornaam en ook niet bij de achternaam."

"Tja, meid, dan is het toch de L van Liefs. Heb je al je interviews al af en je column?"

Monique grijnsde. "Ja, toen ik eenmaal wist dat ik vier weken achter elkaar door kon werken, lukte het me om oma Fenna even aan de kant te schuiven en vlogen de teksten eruit. Ik had echt het gevoel dat ik helemaal geïnspireerd was door oma en dat ik alles kon schrijven wat ik wilde. Ik voel me zo geweldig! Ik heb ook echt het gevoel dat het een fantastisch boek gaat worden. Ik zou alleen zo heel graag willen weten wie hij echt is. Hij moet nog leven, maar wie is het?"

"Bel iedereen op uit haar adressenboekje!"

"Ha, ze zien me aankomen. Hallo, met Monique, de kleindochter van Fenna, bent u soms haar geheime liefde?" Ze lachte vrolijk. "Nee, zo kan dat natuurlijk niet. Als ze het altijd geheim gehouden hebben, moet het nu ook geheim blijven, maar ik zou hem zo graag haar dagboeken geven, dan weet hij hoe ze zich altijd gevoeld heeft."

Bart knikte. "Ja, dat zou mooi zijn als je hem daar nog blij mee kon maken, maar als je niet wilt bellen, weet ik ook niet wat je moet doen."

"Verder snuffelen. Ergens moet zijn naam staan!"

"Maar luister, hij zal toch wel van haar leeftijd zijn en zo veel mensen staan er toch niet in haar adressenboekje van haar eigen leeftijd."

"Dat zal wel. Er waren veel adressen doorgestreept. Die zullen wel overleden zijn."

"Nou dan?"

"Ik wil het zeker weten. Ik vind dat ik het oma niet aan kan doen om de verkeerde te bellen. Niemand wist het, moet ik het dan nu nog aan iemand vertellen? Nadat ze is overleden?"

Bart schoot vreselijk in de lach.

"Wat is er?"

"Waarvoor schrijf je dat boek? Dat wil je toch uitgegeven hebben? Dan weet straks de hele wereld het!"

Monique kleurde en lachte. "Je hebt gelijk. Stom, zeg. Als ik klaar ben met schrijven verander ik oma's naam wel. Dan noem ik haar gewoon Petronella of zo."

"Hoe?" Hij keek haar nog steeds lachend aan.

"Nou ja, ik zeg maar wat, maar in elk geval iets dat niet op Fenna lijkt. Hier, moet je zien! Hier staat zelfs een heel stuk tekst op." Ze gaf opnieuw een kaart aan Bart en hij las voor: "Ik mis je elke dag, al ben je altijd bij me, want je woont in mijn hart."

"Mooi gezegd, hè? Zo'n kaart zou ik ook wel willen ontvangen."

Bart keek haar opgewekt aan. "Genoteerd, mevrouw, maar ik mis je niet, want je bent echt altijd bij me."

"Nou ja, het hoeven ook niet dezelfde woorden te zijn, grapjas, maar iets liefs, speciaal voor mij."

"Ik stuur wel een sms-je, dat past beter bij deze tijd."

"Maar dat kan ik niet aan de muur hangen!"

"Jij bent ook niet veeleisend!"

"Best wel, want ik zou graag een grammofoonspeler willen hebben."

"Waarom dat nou weer?"

Monique kwam overeind en liep op een stapeltje langspeelplaten af. "Deze, van Maria de Lourdes, heeft ze van hem gekregen. Ik zou graag weten hoe die muziek klinkt. Gewoon om een indruk te krijgen van wat hij haar gaf."

"Hoe weet je dat?"

"Omdat ze daarover schrijft! En deze…" Monique pakte een andere plaat. "Bij deze moest ze altijd huilen."

"Love hurts," las hij. "Lieve help, wat een oude muziek."

"Maar nog steeds mooi," verdedigde ze oma.

"Heeft ze die ook van hem gekregen?"

"Nee, die heeft ze gekocht omdat die haar aan hem deed denken. Ken jij iemand die nog een grammofoonspeler heeft?"

"Nee, maar ik kan eens informeren. Ik geloof trouwens dat je die laatste ook op cd kunt kopen. Ik hoor hem nog wel eens op de radio en ik denk dat ie op cd staat."

"Hm, dat is een idee. Misschien die andere ook wel."

"Zeg, mag ik nog wat vragen?"

"Jij wel. Jij mag alles vragen," zei Monique lachend.

"Als het geheim was, die liefde, dan mocht het dus eigenlijk niet."

"Dat klopt. Hij was getrouwd."

"Getrouwd?"

"Ja."

"Ging je oma met een getrouwde man?"

"Eventjes."

"Hoezo?"

"Lees het boek maar als het af is, dan snap je het beter."

"Maar dan staat hij helemaal niet in haar adressenboekje. Oma was vast bang dat iemand erachter kwam. Ze kende zijn adres en telefoonnummer natuurlijk uit haar hoofd."

"Nee, zo was het niet. Hij moet er wel in staan, want ze kende zijn vrouw ook. Ze waren bevriend."

"Bevriend?" Bart keek haar met grote ogen aan.

"Ja."

"Dan moet hij dus toch in haar adressenboekje te vinden zijn en vrij gemakkelijk ook. Hoeveel kennissen had ze nog van haar leeftijd, waarvan ze allebei nog leefden, want zij kan dus niet dood zijn, anders hadden ze hun laatste tijd wel samen doorgebracht, waar of niet?"

Ze knikte. "Natuurlijk staat hij in haar adressenboekje. Samen met zijn vrouw. Maar ik kan aan de namen niet zien hoe oud ze zijn. Er komen toch wel zes stellen in aanmerking uit haar boekje en die hebben allemaal een overlijdensbericht gekregen, maar ik weet nu niet meer wie van haar leeftijd was. Ik weet dat er voor mij onbekende mensen bij de begrafenis waren, maar ik weet niet meer wie wie was."

"Denk je dat hij op de begrafenis was?"

"Dat weet ik eigenlijk wel zeker."

"Dus hij heeft zijn geheime liefde begraven en wij stonden erbij en keken ernaar, maar wisten het niet?"

"Zo is het."

"Of hield hij niet van haar? Hield ze het daarom geheim? Omdat zij alleen van hem hield?"

"Nee, joh, het was hartstikke wederzijds, anders had hij haar die cadeautjes niet gegeven en die kaarten niet gestuurd. Trouwens…"

"Wat is er?"

"Oom Ben. Oom Ben heeft dat horloge meegenomen, omdat hij zei dat het een kostbaar erfstuk was. Oma had het altijd om gehad voor zover hij zich kon herinneren…"

"En?"

"Dat was niet zo en ik heb er zo'n spijt van dat ze het niet omgehouden heeft toen we haar begroeven."

"Waarvoor?" Bart schoot in de lach. "Wat je ook gelooft over een leven na de dood, de tijd speelt daar geen rol meer, hoor."

Monique lachte met hem mee, maar met moeite. "Daar gaat het niet om."

"Ik kan je niet volgen."

"Wacht nou maar tot het boek af is, of nee, je mag best meteen een hoofdstuk lezen als ik het klaar heb. Dan zie je waar ik mee bezig ben en wat ik bedoel."

Bart zuchtte. "Een getrouwde man. Dat had ik toch niet van oma Fenna verwacht."

"Ze heeft er ook mee gekapt. Lees mijn boek nou maar en veroordeel haar niet zonder dat je alles weet."

"Oké, schat. Toch snap ik nog iets niet. Als je nou niet weet wie hij is, hoe kan je hem dan beschrijven in je boek?"

Ze stak vrolijk een duim omhoog. "Boeken schrijven is ook uit je duim zuigen. Ik verzin gewoon een heleboel. Het hoeft allemaal niet te kloppen. Daar gaat het me ook niet om. Het gaat me om haar worsteling, haar gevecht."

"Hè?"

"Ja, haar gevecht! En trouwens, er staat van alles over hem in haar dagboeken. Ik ga er aantekeningen van maken en dan kom ik er vanzelf achter hoe hij eruit ziet en wie hij is! Ik krijg nu al een steeds beter beeld van hem en wat ik niet weet, verzin ik zelf."

"Juist, ja. Doe je dat ook met je interviews?"

"Natuurlijk niet. Die zijn helemaal echt, maar dit is een boek. In boeken mag je fantaseren. Nou, wegwezen, ik wil verder prutsen met de kaarten en foto's en vooral met mijn gedachten."

"Goed, schat." Hij lachte. "Ik ga wel eten koken, want het is mijn week."

"Het zijn jouw weken. In het meervoud."

"Ha, dat zeg jij!" Hij liep op haar af en kuste haar. "Tot zo."

Ze boog zich glimlachend over de kaarten en vond hier en daar een flard van een tekst. Oma had de plaatjes keurig uit de kaarten geknipt en van sommige zelfs een collage gemaakt. Toch stond op geen enkel stukje de naam van 'Thom' en dat vond ze best jammer. Ze schrok op omdat haar mobiele telefoon piepte. Een sms-je. Nieuwsgierig las ze de tekst. 'Hallo, schat, als je klaar bent met je gevecht kom je dan beneden? Het eten is klaar.'

Ze sms'te terug: 'Kan je het vier weken warm houden? Want zo lang duurt dit gevecht wel.'

Zijn antwoord was verrassend romantisch. 'Mijn hele leven wel, want ik blijf altijd voor jou branden.'

Waarom kan ik dat nou niet aan de muur hangen! verzuchtte ze met een warme glimlach.

# Hoofdstuk 2

Fenna schrok van de rinkelende telefoon en keek automatisch op de klok. Het was bijna negen uur 's avonds. Wie kon dat nou zijn? Haar ouders belden nooit zo laat. Misschien was het Laura voor een gezellig praatje?

"Dag Fenna, met Thom."

"Thom? Wat een verrassing!" Haar gezicht begon te stralen. "Echt leuk dat je belt."

"Ja? Ik wou het nog veel leuker maken!"

"Hoe bedoel je?"

"Ik moet morgen voor mijn werk in Alkmaar zijn. Dat is helemaal niet zo ver van Enkhuizen vandaan. Wat vind je ervan als ik na afloop even bij jou langskom? Zo rond een uur of vijf?"

"Wat gezellig! Dat vind ik echt reuze leuk. Blijf je dan eten?"

"Wel nee, ik neem jou mee uit eten."

"Uit eten?"

"Ja, of heb je daar geen zin in?"

Ze wist niet goed wat ze moest zeggen.

"Ik betaal, hoor, want ik nodig je uit."

"Maar…"

"Geen maar, het leek me een leuk idee."

Na het gesprek legde Fenna de hoorn met een trillende hand neer. Ze zag het zelf en glimlachte erom. Uit eten? Wat een opwindende gedachte. Dat had Kees nooit met haar gedaan. Wat moest ze aantrekken? Wat droeg je voor kleren in een restaurant? Had ze wel iets dat daar geschikt voor was? Ze haastte zich naar boven en trok de deur van de klerenkast open. Kritisch bekeek ze de kleren die ze had. Natuurlijk waren het nette kleren. De meeste had ze zelf genaaid en daar was ze inmiddels heel goed in, maar het waren alledaagse kleren, gewone kleren. Ze had geen idee wat je droeg in een restaurant. Haar blik viel op een pakje dat ze al jaren niet meer gedragen had. De rok was tot op de knie. Kees had het onfatsoenlijk gevonden en daarom had ze het nooit meer gedragen, maar was het ook onfatsoenlijk? Ze kleedde zich om. Zag dat de rok iets te wijd geworden was, omdat ze na Kees' overlijden een paar kilo afgevallen was, maar het jasje paste nog perfect. De kleur was blauwgrijs. Eigenlijk wel erg saai, bedacht ze opeens. Erg keurig eigenlijk. Ze zocht verder en vond opeens een hardrode blouse. Als ze die eronder droeg zou het beslist prachtig afsteken bij elkaar en was het pakje misschien wel niet meer zo saai. Ze probeerde het voor de spiegel uit en zag tot haar verrassing dat haar ogen glansden. Wat een geweldig idee van Thom om langs te komen en haar mee uit te vragen!

De volgende dag gebruikte ze om de rok in te nemen en ze merkte dat het haar meer tijd kostte dan anders, omdat ze zo blij en opgewonden was over het bezoek dat haar te wachten stond. De afleiding zou haar goed doen. Ze was te vaak alleen en daar had ze moeite mee. Tegen vier uur kleedde ze zich om, deed wat rouge op haar wangen om te verhullen dat ze eigenlijk veel te bleek zag en haalde een kam door haar korte, blonde haren.

Thom kwam pas tegen half zes. Ze zag hem de auto voor het huis parkeren.

"Sorry, sorry, Fenna, maar de bespreking liep uit." Hij sloeg haar armen om haar heen en kuste haar op haar wangen."

"Geeft niks, de zaken gaan ook altijd voor het meisje, niet waar?" Ze keek hem glimlachend aan. "Wil je eerst even hier zitten of gaan we meteen al weg?"

"Heb je iets te drinken? Een borreltje misschien?"

"Jonge jenever? Berenburg?"

"Whisky?"

"Heb ik ook nog een restje van." Druk bewegend liep ze op de kast met de flessen af. Zou ze zelf ook iets nemen? Ze was het niet gewend om door de week en haast nog midden op de dag een drankje te nemen."

"Neem je zelf niet?" vroeg Thom.

"Ik doe dat anders nooit."

"Maar vandaag ben ik er en dat is anders dan anders." Hij keek haar vol warmte aan en Fenna voelde zich onverwachts gloeien door de blik. Ze bleef stilstaan en keek naar hem.

"Nou, schenk wat in voor jezelf, dan kunnen we toasten."

Ze deed wat hij zei en ging tegenover hem zitten. Ze hieven hun glas op en namen een slokje. Thom keek haar onderzoekend en indringend aan en tot haar verbazing voelde Fenna dat ze bloosde.

"Kijk niet zo! Je kijkt alle moois eraf."

"Dat is onmogelijk. Je bent zo mooi, Fenna, zo ontzettend mooi. Hoe lang ik ook zou kijken, je blijft altijd mooi."

*Ik voelde me verward en opgewonden tegelijk. De blik in je ogen was zo teder. Zo had nog nooit iemand naar me gekeken. Waarom deed je dat? Waarom maakte je me zo in de war?*

"Hoe is het met Marijke?" vroeg ze om uit de betovering van zijn blik te raken.

"Marijke? Ach, je weet wel." Hij haalde zijn schouders op.

"Nou?"

"Hoofdpijn."

"Maar dat is toch niet goed! Daar moet de dokter wat aan doen."

Ze keken elkaar aan en wisten beiden het antwoord. Marijke had altijd hoofdpijn, ook als ze het niet had. Ze speelde kasplantje, zielenpiet, zwak en afhankelijk.

"Weet ze dat je hier bent?"

"Natuurlijk. Ze zat erbij toen ik je belde."

"Vond ze dat wel goed?"

Thom zuchtte en keek haar glimlachend aan. "Ze vindt niet veel goed van wat ik doe, maar ze moet me af en toe de ruimte geven, Fenna. Ik kan niet alle avonden medelijden met haar hebben. Ik weet wel dat ze soms echt ziek is en vermoedelijk is ze psychisch behoorlijk ziek, maar ze claimt me, dwingt me. Ik moet af en toe weg en dan ben ik blij als ik ergens een vergadering heb en laat thuis kom. Helemaal nu de kinderen niet meer thuis wonen klaagt ze steen en been en eist ze dat ik elke avond om vijf uur thuis ben, maar dat kan ik niet, Fenna, dat kan ik niet."

Ze knikte begripvol. Ze kende Marijke net zo lang als ze Thom kende of misschien nog iets langer. Ze had haar ontmoet toen ze bij een van haar vriendinnen, nog in Vlaardingen, was gaan koffie drinken. Fenna wist meteen al dat ze niet de vrouw was met wie ze graag omging, maar Marijke nodigde zichzelf en haar man bij hen uit en zo ontmoette Fenna Thom. Tot haar verrassing mocht ze hem meteen en begreep ze niet wat die twee bij elkaar deden. Aan de andere kant zullen veel mensen dat ook altijd van Kees en haar gedacht hebben, bedacht ze met een grimas op haar gezicht.

"Zullen we gaan?" Thom stond op. Fenna had haar glaasje amper aangeroerd, maar ze stond ook op. Hun armen raakten elkaar toen ze naar de gang liepen en zijn handen bleven even op haar schouders rusten toen hij haar in haar jas hielp. *Waarom voelde dat zo heerlijk warm? Waarom begonnen mijn wangen daarvan te gloeien? Ik had nog nooit zoiets door jou ervaren. Wat was er vandaag anders aan jou? Aan mij?*

"Ze hebben de steen geplaatst op Kees' graf," vertelde ze toen ze naast hem in de auto zat op weg naar een restaurant dat hij uitgekozen had.

"Nu pas?"

"Ja, dat duurt altijd zo lang. Het is een half jaar geleden dat Kees begraven werd en ze zeiden dat dat nog snel was."

"O. Ben je tevreden met de steen?"

Ze knikte. "Het is een mooie steen geworden. Wat roodachtig, omdat ik wilde dat het aan klinkers zou doen denken. Hij was immers vroeger stratenmaker."

"Mis je hem erg?"

Fenna keek opzij en glimlachte. "Ik mis iemand om me heen. Ik mis het om voor niemand te hoeven zorgen, maar het vreemde is dat ik maar weinig aan Kees denk." Ze zuchtte. "Ik heb nooit van hem gehouden. Ik mocht hem wel en het was niet erg om met hem samen te leven, maar van hem gehouden heb ik niet."

"Maar je vindt het moeilijk om alleen te zijn."

"Precies."

Hij parkeerde de auto voor het restaurant, stapte uit en hield de deur voor haar open. "Je ziet er trouwens prachtig uit in die kleren."

Ze bloosde. "Echt? Ik wist niet wat ik aan moest trekken. Ik ga nooit uit eten."

"Je hebt een goede keus gemaakt, maar je ziet er altijd mooi uit, Fenna. Je weet precies hoe je je moet kleden."

Ze merkte dat ze nog dieper bloosde. Gaf hij altijd al zulke complimentjes of drongen ze nu pas voor het eerst tot haar door?

Hij liet haar het restaurant binnengaan en hielp haar haar jas uittrekken. Ze kregen een tafeltje bij het raam. Er brandde een kaars op de tafel, buiten was het al bijna donker. Ze keek naar de kaars en het woord romantisch kwam in haar op. Kees had kaarsen altijd maar onzin gevonden. Die waren alleen goed bij stroomuitval. "Er staat helemaal niet op de menukaart wat het eten kost," zei ze verbaasd.

Thom lachte. "Op jouw menukaart niet, nee, maar op de mijne wel. Kies maar iets uit wat jij lekker vindt, Fenna"

"Maar dan weet ik niet hoe duur het is."

"Dat gaat je ook niets aan. Je moet juist kiezen wat je het lekkerst vindt en niet wat het goedkoopste is."

"Maar.."

"Niks maar. Zoek nou maar wat uit. Of heb je hulp nodig?"

Ze keek naar de woorden waarvan sommige Frans waren en ze realiseerde zich dat ze niet veel geleerd had op school en al helemaal niets meer had bijgeleerd. Wat had ze al die jaren gedaan? Was ze sinds haar huwelijk met Kees stil blijven staan?

"Wat is er? Je kijkt zo ernstig."

"Ik heb alleen maar huishoudschool gehad en meteen daarna moest ik bij de dokter aan het werk als huishoudster. Toen de oorlog uitbrak, wilden mijn ouders me weer op de boerderij hebben omdat sommige krachten weg moesten. Ik heb nooit veel geleerd, Thom en al helemaal niets bijgeleerd."

"Dat weet ik toch, Fenna, maar van dat bijgeleerd, dat geloof ik niet. Het leven heeft je wijs gemaakt."

Ze keek hem glimlachend aan. "Maar het leven heeft me geen Franse woorden aangeleerd."

Hij lachte. "Dan zoek ik iets lekkers voor ons uit. Wil je vis of vlees? En ook iets vooraf?" Hij legde even zijn hand op de hare, die naast de menukaart op tafel lag. *Ik schrok van de aanraking. Het stelde niets voor, was alleen maar geruststellend bedoeld, maar het was alsof mijn hele lichaam er een elektrische schok van kreeg, alsof je me in brand zette. Ik voelde mijn hart sneller kloppen, mijn adem stokken in mijn keel.* Het werd een heerlijk diner en Fenna straalde de hele tijd. "Zoiets lekkers heb ik nog nooit geproefd."

"Onzin, jij maakt ook heerlijk eten klaar, maar nu breng ik je weer naar huis. Het is nog een stukje rijden voor ik thuis kom en ik moet er morgen weer vroeg uit."

Ze knikte, maar merkte hoe teleurgesteld ze was. *Ik hoopte dat er nooit een einde aan zou komen aan dit intieme samenzijn. Al zat je aan de andere kant van de tafel, het was alsof je me de hele tijd aanraakte, streelde, liefkoosde. Ik wist niet wat er gebeurde. Ik wist alleen dat ik me nog nooit zo had gevoeld.*

"En Marijke wacht op je," zei ze. *Ik wilde niet voelen wat ik voelde, want het kon niet, het mocht niet. Het sloeg nergens op! Ik kende je al jaren. Waarom was het vandaag toch opeens zo anders?*

Hij glimlachte. "Marijke, ja. Die wacht niet echt op mij. Ze wacht meer op iemand tegen wie ze aan kan zeuren."

"Maar je houdt toch wel van haar?"

Thom bleef even stil, haalde toen zijn schouders op. "Dat weet ik dus niet. Natuurlijk heb ik van haar gehouden in het begin, anders was ik niet met haar getrouwd, maar al een paar jaar na ons huwelijk begon ze te veranderen. Ze had altijd wat. Het erge was alleen dat ik haar soms niet geloofde. Soms had ik het gevoel dat ze jaloers was op mijn werk, omdat ik daar zo enthousiast over was."

"Maar je werkt toch ook vreselijk graag?"

Hij lachte. "Het is zo'n cirkel. Hoe meer Marijke begon te klagen, hoe meer ik me in mijn werk stortte en nu is mijn werk vaak een vlucht van huis."

"Ze zou eigenlijk naar een psychiater moeten."

"Dat heb ik al vaak gezegd, Fenna. Zelfs de huisarts heeft dat diverse keren voorgesteld, maar ze wil niet. Ze gelooft niet dat haar klachten psychisch zijn. Vroeger ging je trouwens ook niet naar een psychiater. Tegenwoordig is het wat moderner om het wel te doen, maar Marijke wil niet."

Hij hielp haar met haar jas, hield het portier voor haar open en ze voelde zich een koningin. Kees was nooit zo galant geweest, nooit zo attent. Hij bracht haar naar huis, hield stil voor haar voordeur, maar liet de motor van de auto draaien. "Het was een heerlijke avond, Fenna. Ik heb genoten van je gezelschap."

Ze keek hem warm aan. "Ik vond het ook heel fijn. Even wat anders in mijn gewone leventje."

"Dan doen we het nog eens," stelde hij voor. Hij boog zich naar haar toe, gaf haar een kus op elke wang. "Dag Fenna, ga maar snel naar binnen. Ik wacht tot je in huis bent." Toen voelde ze zijn lippen op de hare. Het was zo vluchtig en zo snel gedaan, dat ze haast niet eens zeker wist dat hij het echt gedaan had.

*Nog uren later kon ik je lippen op de mijne voelen. Het was nauwelijks waarneembaar geweest, maar ik voelde de afdruk tot in mijn tenen. Thom, wat doe je met mij?*

# Hoofdstuk 3

Het onverwachte etentje had Fenna ongekende energie gegeven. In de dagen erna leefde ze als op wolken. Ze herkende zichzelf niet meer, wist ook niet wat er met haar gebeurde. Thom was zo belangstellend geweest. Naar haar! Vol aandacht had hij geluisterd naar wat ze zei. Of het nu over de steen op Kees' graf ging of over haar ideeën over de politiek. Hij luisterde en liet merken dat hij haar mening waardeerde, belangrijk vond. Zo was ze nog nooit behandeld. Kees vond altijd dat ze haar mond moest houden als ze ergens een mening over had. "Wat weet jij daarvan?" kon hij zeggen. "Jij hebt nergens voor geleerd, dus je kunt ook niets weten." Dat had haar vaak pijn gedaan en erin geresulteerd dat ze meestal haar mond hield en uiteindelijk zelf ook vaak dacht dat ze niets waard was, niets wist en niets kon. Thom had haar een compleet ander gevoel gegeven. Precies het tegenovergestelde zelfs. Dat ze wel wat waard was, dat ze de moeite waard was. Plotseling werd ze 's morgens wakker met een opgewekt gevoel in plaats van de waas, die sinds Kees' overlijden en misschien zelfs al daarvoor over haar hing als ze haar ogen opende.

Haar energie gebruikte ze om eindelijk eens het hele huis door te gaan. Een soort van voorjaarsschoonmaak in de winter. Of nee, een schoonmaak in haar leven. De kleren van Kees liet ze Laura met de auto naar het Leger des Heils brengen, het gereedschap dat ze toch nooit zou gebruiken liet ze ophalen door Ben. Ze haalde de gordijnen van het raam en de vitrage en besloot nieuwe gordijnen te gaan naaien. Deze waren altijd zo somber geweest, ze had ze nooit mooi gevonden, maar Kees wilde per se donkere, dikke gordijnen. Nu kon ze eindelijk doen waar ze zelf zin in had en ze koos voor lichtgekleurde gordijnen, die de kamer een vrolijker indruk gaven. Ze naaide kussentjes van dezelfde stof en fleurde er de bank mee op. Ze liet zelfs Kees' leunstoel weghalen en kocht er een nieuwe voor in de plaats. Een die niet zo zwaar en antiek was, maar vrolijker van kleur en lichter van materiaal.

"Nu zit ik alleen nog met de auto," zei ze op een avond tegen Ben.

"Wat is daarmee?"

"Die moet weg. Hij wordt alleen maar minder waard en ik kan immers niet rijden. Wil jij hem niet voor me verkopen, want daar heb ik echt geen verstand van."

"U zou rijles kunnen gaan nemen, moeder," zei Ben opgewekt.

"Rijles?" De woorden van Thom na de begrafenis schoten haar door het hoofd. 'Je zou autorijles kunnen nemen. Je zou naar school kunnen gaan, iets leuks leren, een taal of heel wat anders. Je zou vrijwilligerswerk kunnen gaan doen. Echt, Fenna, je hoeft je niet te vervelen.' Tegelijk dacht ze aan Kees, die het belachelijk vond toen ze dat zelf, jaren geleden, voorstelde. 'Vrouwen achter het stuur, die brengen alleen maar ongeluk en jij helemaal. Denk je nou echt dat je zoiets kan leren?' "Denk je?" vroeg ze aarzelend aan Ben.

"Natuurlijk. Waarom niet? U bent pas vijftig, nog jong genoeg om zoiets te leren en ook nog jong genoeg om er heel veel jaren plezier van te hebben. Denk u eens in dat u weg kunt gaan wanneer u daar zin in hebt. Niet op de bus wachten of de trein. Zomaar even weg. Een weekend naar vrienden of een dagje naar het strand."

Ze keek hem verlangend aan. Wat klonk dat verleidelijk. "Vind je het dan niet gek als ik..."

"Moeder, er zijn genoeg mensen die nog ouder zijn als ze aan rijles beginnen."

"Thom zei ook al zoiets..." zei ze aarzelend.

"Thom?"

"Ja, Thom van Marijke."

"Zie je die dan nog?" Hij keek haar verrast aan. Fenna draaide snel haar hoofd af. Ze wilde niet dat Ben kon zien hoezeer ze bloosde. "Hij zei dat op de begrafenis van vader. Dan had ik iets om handen, vond hij." Dat was niet gelogen.

"Heel verstandig van hem. Ik ben het helemaal met hem eens. En de auto van vader is altijd zo goed onderhouden, die kan nog jaren mee!"

Meteen de volgende dag al belde ze naar een autorijschool. Met trillende vingers draaide ze het nummer. "Ik wou graag rijles nemen."

"Dat kan, mevrouw. Kunt u morgenmiddag om vier uur?"

"Maar ik ben al vijftig," zei ze zacht.

"Wat bedoelt u daarmee?" De man leek het probleem niet in te zien.

"Niets, morgenmiddag is prima. Ik zal er zijn."

"Nee, nee, wij komen naar u toe." Hij legde haar zijn werkwijze uit en toen Fenna de hoorn op het toestel legde, voelde ze zich gloeien van trots. Ze had een afspraak gemaakt! Ze ging rijles nemen! Ze zou alweer iets gaan doen tegen de wens van Kees in, maar voor het eerst merkte ze dat ze zich er echt niet schuldig over voelde. Het was tijd, de hoogste tijd, dat ze eens iets voor zichzelf ging doen! In een opwelling belde ze vervolgens de bezoekdame die haar sinds Kees' dood al een paar keer bezocht had. "Met Fenna, ik vroeg me af of ik misschien ook zoiets kan doen als u doet. Ik ben wel niet zo'n actief lid van de kerk meer, maar ik vond het erg prettig dat u langskwam om eens te zien hoe het met me ging. Misschien zijn er ook wel mensen die ik zou kunnen bezoeken?"

De vrouw was meteen enthousiast en gaf haar het nummer van de voorzitster van de bezoekcommissie in hun kerkelijke gemeente, die Fenna uitgenodigde voor de eerstvolgende vergadering van de bezoekdames van het bejaardentehuis en die vergadering was al over vier dagen.

Nog steeds als in een roes verbrak ze de verbinding. Ze zou bezoekdame worden, vrijwilligster van de kerk. Dat had ze ook al jaren geleden kunnen doen natuurlijk, maar ze had altijd gedacht dat niemand iets aan haar bezoekjes zou hebben. Waarom dacht ze er nu dan opeens anders over? Ze greep haar adressenboekje en zocht het telefoonnummer van Thom en Marijke op, draaide de eerste cijfers, maar legde toen de hoorn weer neer. Thom zou niet thuis, die was nog aan het werk en Marijke wilde ze dit niet vertellen. Ze voelde haar ogen glinsteren en vroeg zich verbaasd af, waarom ze deze nieuwtjes zo graag aan Thom wilde vertellen, waarom juist aan hem? Ze kon ze toch ook aan Laura kwijt? Maar nog verbaasder vroeg ze zich af, hoe ze ertoe gekomen was deze stappen te zetten. *Nog uren later kon ik je lippen op de mijne voelen. Het was nauwelijks waarneembaar geweest, maar ik voelde de afdruk tot in mijn tenen. Thom, wat doe je met mij? Je geeft me een ongekende kracht, een ongekende energie, alsof ik bruis, groei, bloei. Hoe doe je dat?*

De volgende ochtend ging om acht uur de telefoon. De enige die zo vroeg belde, was haar moeder. Ze nam opgewekt op.
"Dag, Fenna!"
Thom! Ze herkende zijn stem meteen en ze voelde dat ze erop reageerde. "Hallo!" zei ze verrast. "Wat bel jij vroeg!"
"Niet te vroeg toch? Je bent toch iemand die altijd bijtijds opstaat? Ik bel je toch niet wakker?"
"Nee, nee, helemaal niet, maar moet jij niet naar je werk?"
Het was even stil, maar toen zei hij: "Ik ben op mijn werk."
"O?"
"Ik had zin om je te bellen, je stem te horen. Zonder dat Marijke mee zit te luisteren."
Ze zweeg. Ze wist niet wat ze hierop zeggen moest. Ze kon toch niet zeggen dat ze gisteren hetzelfde gedacht had?
"Ik wou je nog graag bedanken voor die fantastische avond vorige week," ging Thom verder. "Het was zo gezellig met jou."
Ze kleurde en lachte. "Het was gezellig met jóu. En weet je wat ik vanmiddag ga doen?"
"Nee?"
"Ik krijg mijn eerste autorijles, Thom. Ik heb me opgegeven voor rijlessen. Kees' auto staat hier nog steeds en Ben zei dat het nog een prima auto is en toen heb ik me opgegeven en ik heb nieuwe gordijnen gemaakt en kussentjes in de kamer en ik heb een mooi schilderij gekocht voor boven de bank, een heel vrolijk schilderij

en ik ga vrijwilligerswerk doen in een bejaardentehuis en ik denk dat ik morgen naar de kapper ga voor een ander kleurtje in mijn haar." Ze wist niet waarom ze dat laatste zei. Die gedachte had ze nog nooit eerder gehad, maar opeens wist ze dat haar blonde haar allang niet zo blond meer was. Hoe kwam ze daar nou bij?

Thom schoot in de lach. "Wat klink je heerlijk opgewekt en optimistisch. Geweldig om je zo te horen. Ik zie je ogen stralen door de telefoon heen."

Zie je ook hoe mijn wangen gloeien, dieproze geworden zijn. Hoor je mijn hart vlugger kloppen en mijn ademhaling sneller gaan?

"Weet je wat? Ik bel je morgen weer om te vragen hoe je eerste les ging. Ik moet nu naar een vergadering dus ik moet ophangen, maar mijn dag is goed begonnen. Beter dan op andere dagen. Dank je, Fenna."

Hoezo goed begonnen? Waarom zei hij dat? Waar sloeg dat op? Op haar? Op het gesprek met haar? Had hij het zo leuk gevonden met haar te praten? Omdat ze zo vrolijk was? Zo anders dan anders? Eigenlijk een beetje nieuw? Voelde hij wat zij ook voelde? Wat gebeurde er toch tussen hen? *Als je morgen belt, dan zeg ik dat je dat niet weer moet doen. Je maakt me er zo blij mee, dat ik de hele tijd aan je loop te denken en dat kan niet, mag niet, hoort niet, Thom. Ik zal zeggen dat je me niet meer bellen mag vanaf je werk en dat je niet meer langs mag komen zonder Marijke. Om mezelf te beschermen tegen verdriet en om jouw huwelijk niet in gevaar te brengen.*

## Hoofdstuk 4

*Wat hebben we gedaan, Thom en vooral: waarom hebben we het gedaan? Jij? Ik? Die ongelooflijke aantrekkingskracht, waar kwam die vandaan? Meteen toen ik je stem aan de telefoon hoorde, heb ik gezegd dat je het niet meer moest doen, mij bellen vanaf je werk. Maar je luisterde niet en zei dat je de volgende dag weer in de buurt moest zijn en zo graag bij me langs wilde komen. Ik was niet in staat te weigeren. Ik wilde immers ook niets liever. Ik heb nog nooit zo lang voor de klerenkast gestaan, maar niets paste er nog bij mijn nieuwe kapsel. Ten slotte ben ik naar de winkels gegaan en heb ik een nieuwe rok en trui gekocht. Je vond me zo mooi! Dat was het eerste wat je zei toen je binnenkwam met dat prachtige boeket bloemen in je hand en ik zag aan je ogen dat je het meende. Je ogen... zoals die voortdurend naar me kijken. Het verrast me wat ik daarin zie. Je geeft me zo het gevoel dat ik je blij maak. Ik, die nooit iets waard was. Hoe kan ik, zo onbeduidend als ik me altijd gevoeld heb, een ander zo blij en gelukkig maken? Je hand op de mijne op de tafel in de kamer en ik kon er niets aan doen, ik moest je hand beetgrijpen, je vingers, je duim, ik pakte ze beet alsof ze een reddingsboei waren, maar ook vol hartstocht, vol begerige liefde. Begerig - zo keek jij naar mij. Je wilde me, ik zag het in je ogen, ik zag het en voelde het! De spanning tussen ons deed de lucht trillen, de tijd stond stil. We zaten samen in een luchtbel, de wereld bestond niet meer. Ik bracht je hand naar mijn mond, kuste je vingers een voor een, het leek zo normaal, zo doodgewoon, maar zoiets had ik nog nooit gedaan. Nu ik terugdenk, denk ik dat ik gek ben. Wie kust nou iemands vingers? Maar ik moest, ik moest je hand tegen mijn lippen voelen en jij genoot. Van mij! Thom, ik kan het niet bevatten, hoe kan iemand nou genieten van mij? Iemand die zo met beide benen in de grote wereld staat, die al zo veel gezien heeft en zo veel weet. Wat zoek je bij mij? Wat vind je bij mij?*

*We konden elkaar niet meer loslaten, de fysieke aantrekkingskracht was niet meer te stuiten, mijn borsten zwollen op, mijn lichaam sidderde en ik voelde me als was, brandende was in jouw handen. Nu nog reageert mijn hele lichaam op wat er tussen ons gebeurde. Eerlijk, Thom, zoals vannacht heb ik mijn hele leven nog niet gevrijd. Zo vol passie, warmte, vuur. Ik wist niet dat vrijen zo mooi kon zijn! En jij zei hetzelfde, maar dat kan toch niet? Jij hield van Marijke toen je met haar trouwde. Ik heb uit angst voor de oorlog, onveiligheid en onzekerheid seks gehad met Kees en veel meer is het nooit geworden, maar jij? Hoe kan ook jij zeggen dat je nog nooit zo gevrijd hebt als deze keer met mij? Ik kan het niet geloven dat ik jou net zoveel doe als jij mij.*

*De hele nacht. Jouw lichaam tegen het mijne, het mijne tegen dat van jou. Zo vanzelfsprekend, alsof onze lichamen voor elkaar gemaakt waren, alsof we ons hele leven al gewacht hadden op dit intieme moment. En misschien is dat ook wel zo? Beminnen heet dit. Dit was geen vrijen, geen seks. Dit was beminnen. Thom, ik bemin je en jij beminde mij.*

*Je verlamt me, beneemt me de adem. Ik kan niet helder meer denken, niet eens meer koffie zetten! En tegelijk voel ik me een vogel, die eindelijk is losgelaten uit haar roestige kooi en de wijde wereld invliegt met vleugelslagen als van een adelaar.*

Fenna klapte haar dagboek dicht. Haar ogen waren vochtig, maar dat was van geluk. Ze borg het dagboek weg in het ladekastje, wierp een snelle blik in de spiegel, trok haar jas aan en liep naar buiten.

Twee minuten later was de auto er.

"Nou, u hebt er zin in vandaag," lachte de rijinstructeur. "Uw ogen glansen helemaal!"

Fenna bloosde en lachte. Hij moest eens weten waar dat van kwam!

"U bent ook een snelle leerling. Geweldig zoals u meteen al wegrijdt en de bocht neemt! Als u zo doorgaat, kan ik binnenkort wel vast het examen aanvragen."

"Nee, toch? Zo snel ben ik niet."

"Toch wel. U neemt alles goed op en onthoudt het ook nog. Bent u al in het theorieboek begonnen?"

Ze was verrast door deze complimentjes. Hoewel ze moest toegeven dat ze zich goed voelde achter het stuur en dat hij inderdaad maar weinig ingreep, kon ze toch niet begrijpen dat ze echt een snelle leerling was. Kees had haar zo vaak naar beneden gehaald, dat het moeilijk was het tegendeel te geloven.

Toch groeide er een voorzichtige trots bij elke les die ze kreeg. De woorden van de instructeur en die van Thom door de telefoon, gaven haar een kick en heel langzaam begon ze wat vertrouwen in zichzelf te krijgen.

Thom belde haar vaak. Meestal 's morgens vroeg. Ze genoot van die momenten. Het was zo heerlijk om aan hem te vertellen hoe haar leven veranderd was! Hoe ze zelf veranderd was. "En dat heb ik aan jou te danken!" jubelde ze.

"Natuurlijk niet, Fenna, dat heb je helemaal alleen gedaan!"

Ze wist dat dat niet waar was. Als hij haar die avond niet mee uit eten genomen had, als hij haar niet voortdurend aanmoedigde, dan was het nooit gebeurd.

"Moeder, wat is er toch met u?" vroeg Laura lachend toen ze op een zondagmiddag bij haar op bezoek was met haar man Roel.

"Wat kan er zijn?" vroeg Fenna terug om tijd te winnen voor het antwoord.

"U ziet er zo stralend uit. U kleedt zich jaren jonger, de kleur van u haar staat u geweldig en u lijkt af en toe wel te huppelen in plaats van gewoon te lopen."

"Misschien is ze wel verliefd," merkte Roel lachend op.

"Verliefd?" Laura leek geschrokken. "Vader is nog niet eens een jaar…" Ze keek haar moeder onderzoekend aan. Ze wist best dat het huwelijk van haar ouders niet gelukkig was geweest, maar verliefd?

"Laat hem toch kletsen," zei Fenna lachend. "Het komt door de autorijlessen en door het vrijwilligerswerk. Dat doet me zo goed! Toen vader overleden was, viel ik in een gat. Ik had opeens niets meer te doen, voor niemand meer te zorgen. Ik voelde me afgedankt en overbodig. Ik heb heel even gedacht om weer naar Brabant terug te gaan en bij mijn ouders in de buurt te gaan wonen, maar dat kon ik niet. Jullie wonen hier en Ben en Maria. Ik voel me prettig in Enkhuizen, maar ook alleen en overbodig."

Ze glimlachte. "Door het vrijwilligerswerk in het bejaardentehuis, door de blije gezichten van de mensen als ik voor hun deur sta, voel ik me opeens niet meer overbodig en doordat de rijlessen zo goed gaan, heb ik voor het eerst van mijn leven het gevoel dat ik toch iets kan."

"Maar u kon altijd toch al van alles?" wierp Laura tegen. "Ik ben altijd trots op u geweest."

"Op mij?"

"Ja, u kon de mooiste kleren maken en als er iets nieuws in de mode kwam, was ik de eerste die het had, omdat u het zelf maakte. De meisjes in mijn klas waren vaak jaloers op mij, omdat ik zo snel met de nieuwe mode meedeed en verder kookte u altijd heerlijk en zorgde u er altijd voor dat het gezellig was in huis."

Fenna bloosde. Ze had nooit geweten dat Laura trots op haar was.

"En nu ben ik nog trotser, want ik vind het echt te gek dat u autorijlessen hebt genomen."

"Zie je, ik ook. Het geeft me echt een kick, maar…"

"Ja?"

"Er is nog iets anders…"

"Dus toch verliefd," vond Roel.

Fenna bloosde en Laura kneep haar ogen tot kiertjes om haar moeder beter te kunnen zien.

"Ik wist het niet, ik bedoel, ik heb het nooit bewust zo gevoeld, maar eigenlijk zat ik bij vader onder de plak. Ik deed alleen wat hij wilde en zoals hij het wilde. Hij was de baas in huis en ik schikte me naar hem."

"Dat is niet waar!" riep Laura uit. "Toen ik op mijn zestiende naar een klassenfeestje wilde en dat niet mocht van vader, hebt u ervoor gezorgd dat ik toch mocht!"

"O ja?" Fenna keek haar dochter verrast aan.

"Ja, weet u dat niet meer? Vader was woest, maar ik had een heerlijke avond."

"En daar ging het om," zei Fenna glimlachend, "maar voor jou ben ik misschien opgekomen, voor mezelf niet en nu voelt het…" Ze aarzelde om het juiste woord te gebruiken, want Kees was natuurlijk wel Laura's vader.

"Als een bevrijding," hielp Roel haar.

Ze keek hem dankbaar aan, knikte weifelend. "De gordijnen," zei ze zacht, "zijn een voorbeeld. Vader wilde niet zulke gordijnen. Vader vond het ook stom om iets tegen mijn grijze haren te doen en dus deed ik er niets aan."

"Terwijl het u zo goed staat!" riep Laura uit, maar haar gezicht betrok en ze keek haar moeder ernstig aan. "Bent u blij dat vader er niet meer is?"

"Laura! Dat mag je niet zeggen. Niet eens denken."

"Maar u was niet gelukkig met hem."

"Niet altijd, nee, maar hij was wel mijn man. Hij heeft voor mij en voor jullie gewerkt, hij heeft er altijd voor gezorgd dat we ons financieel konden redden en ook nu heb ik door hem een leuk weduwepensioen. Hij heeft zijn best gedaan en ik voel me soms erg alleen, nu hij er niet meer is. Aan de andere kant doe ik wel opeens dingen, die vader niet goedkeurde en tot mijn eigen verrassing ben ik daar blij om." Ze stond op om nog eens thee in te schenken. *Ik heb me nog nooit zo mooi gevoeld, zo begerenswaardig. Voor jou kleed ik me anders, maak ik mijn ogen lichtjes op. Voor jou wil ik zo mooi zijn, zoals ik dat nog nooit eerder was.*

"Over drie weken mag ik al rijexamen doen!"

"Wat goed, moeder!"

"Ik zit zelfs te denken…" Zou ze het vertellen? Misschien lachte Laura haar uit.

"Nou? Wat bent u nog meer van plan?" Laura's ogen lachten en dat gaf Fenna moed.

"Ik wilde naar het arbeidsbureau gaan om te zien of er misschien een baantje voor me is."

Laura's mond viel open van verbazing. "Na al die jaren?"

Fenna knikte.

"Maar wat kunt u dan?"

Fenna schoot overeind. Ze hoorde de stem van Kees in Laura's woorden.

"Ik kan genoeg. Als ik wil kan ik genoeg," zei ze vrij fel.

"Ja, ja, natuurlijk," haastte Laura zich te zeggen, "maar wat? U hebt nergens voor geleerd."

"Ik ben oud en wijs genoeg om bepaalde dingen te kunnen zonder ervoor naar school geweest te zijn," zei ze eigenwijs.

"Als u maar niet bij andere mensen gaat schoonmaken, want dat wil ik niet," zei Laura nors.

"Dat was ik ook niet van plan. Het moet wel leuk zijn. Schoonmaken heb ik al genoeg gedaan in mijn leven. Ik dacht meer aan een winkelbaantje." 'Natuurlijk kan je werken, Fenna, en ik weet zeker dat je er een ander mens van wordt, een blijer mens. Contacten buitenshuis zullen je alleen maar nog meer zelfvertrouwen geven.' Ze hoorde Thoms woorden door de telefoon. Thom, die zo veel vertrouwen in haar had. Veel meer dan zijzelf.

Laura zei niets meer en Fenna had echt even het gevoel alsof Kees tegenover haar zat, maar Kees leefde niet meer en ze kon doen en laten waar ze zelf zin in had. Ik ga gewoon morgen naar het arbeidsbureau, dacht ze in stilte. Ik zal haar wel laten zien dat ik ook wat anders kan dan huisvrouw en moeder te zijn.

Monique beet op het puntje van haar pen. Ze hoorde de telefoon wel rinkelen, maar ze nam niet op. Ze kon en wilde niet gestoord worden! Even later rinkelde echter haar mobiele telefoon. Geërgerd keek ze wie de beller was. De hoofdredactrice van het tijdschrift waar ze voor werkte. Nu moest ze wel opnemen.

"Hallo, wat is er?"

"Waar zit je toch? Ik probeer je de hele morgen al te bellen."

"Ik ben er niet."

"Nee, dat is duidelijk, maar ik heb je nodig."

"Kan niet. Ik heb andere bezigheden."

"Maar je verhaal over die mishandelde vrouw is zoek. Je moet het me nog een keer toesturen."

"Lieve help, voor dat soort dingen heb ik geen tijd."

"Als je er zo chagrijnig van wordt als je een boek schrijft, kan je er beter mee stoppen."

"Ik ben helemaal niet chagrijnig," snauwde Monique.

De redactrice reageerde hier wijselijk niet op. "Kan ik dat interview straks nog een keer van je krijgen? Er is haast bij."

"Goed," zei Monique en ze verbrak de verbinding. Waarom had oma het toegestaan dat hij haar kuste? Waarom was ze zelfs verder gegaan dan dat? Ze begreep dat oma hongerde naar liefde, dat ze eigenlijk nooit echt gelukkig was geweest en dat ze dat geluk nu met beide handen aangreep. Maar om te beginnen aan iets wat bij voorbaat uitzichtloos was? Terwijl het bovendien geheim gehouden moest worden omdat het eigenlijk verboden was! Ze dacht aan het gezicht van Bart toen ze vertelde dat oma verliefd was geweest op een getrouwde man. Zoiets deed je toch niet? Iemands huwelijk kapot maken. Maar Thom had nauwelijks nog een huwelijk gehad. Dat was al kapot. Maar waarom bleef hij dan bij haar? Of werd er in die tijd nog niet echt gescheiden zoals tegenwoordig bijna dagelijks voorkwam?

Ze had de dagboeken in eerste instantie vrij vlug doorgelezen.

Verslonden had ze ze door de stijl waarin oma geschreven had, door het meeslepende ritme, de passie en het verdriet. Daarna was ze opnieuw begonnen met lezen, langzaam, aandachtig. Om te begrijpen, en om meer gegevens te vinden die misschien hier en daar verborgen waren.

Ze keek naar haar notitieblok en beet opnieuw op haar pen. Opvallend eigenlijk, zo weinig als oma over Thom en Marijke had vermeld. Hun namen stonden nergens. Hij werd uitsluitend 'Lief' genoemd en haar naam werd alleen maar als X geschreven. Was dat uit schuldgevoel? Durfde oma haar naam niet te schrijven omdat ze zich toch niet goed voelde naar haar toe? Of had ze zo'n hekel aan X dat ze haar naam niet wilde schrijven? Ach nee, vermoedelijk was het uitsluitend en alleen omdat ze wilde voorkomen dat iemand er ooit achter kwam, mochten de dagboeken in verkeerde handen vallen.

Verkeerde? Waren Moniques handen de verkeerde? Zou oma Fenna erg kwaad worden als ze wist wat Monique ermee deed?

In elk geval wist ze dat Thom drie jaar ouder was dan oma en dat hij nu dus 91 moest zijn! Best bijzonder dat ze allebei nog leefden, vooral omdat Marijke altijd zo ziekelijk was geweest. Grijze ogen had hij en hij was kalend, maar wie was dat niet als je 91 was. Ze glimlachte. Jammer trouwens dat er tijdens de begrafenis geen foto's gemaakt waren. Dan had ze hem er misschien op zien staan en wie weet wist haar vader of oom Ben dan wie hij was. Maar ja, van begrafenissen werden nu eenmaal niet vaak foto's gemaakt. Dat was anders dan op feesten. Opeens schoot ze rechtop. Feesten. Oma en opa hadden ooit een feest gegeven. Ze greep de telefoon die tegelijkertijd begon te rinkelen. Ze schrok zich rot en riep ruw haar naam.

"Ja, sorry, hoor, maar waar blijft dat interview nou?"

Monique was even van slag, toen haalde ze diep adem. "Komt eraan." Ze verbrak de verbinding en ging achter haar computer zitten. Zocht het betreffende interview op en verstuurde het per mail. Toen pakte ze weer de telefoon. "Vader, met mij. Waar liggen de fotoalbums van moeder?"

"Monique ben je nu nog met je artikel over oma bezig?"

"Ja en ik stop er voorlopig ook nog niet mee. Ik vind het veel te intrigerend."

"Maar dat je me ervoor moet storen op mijn werk!"

"Zeg nou gewoon waar moeders albums van vroeger liggen."

Roel dacht even na. "Ik denk onderin de grote kast op mijn slaapkamer."

"Mag ik daar even gaan zoeken?" Ze had een eigen sleutel van het huis.

"Als je er maar geen puinhoop van maakt."

Monique schoot in de lach. "Moet jij nodig zeggen!"

"Kan ik het helpen dat ik een man alleen ben?" zei Roel lachend, maar Monique voelde de pijn door de lach heen. Natuurlijk kon haar vader dat niet helpen. Hij was veel te vroeg weduwnaar geworden en Monique was veel te vroeg haar moeder verloren. Laura was maar 53 geworden. Ze had nu 63 kunnen zijn.

"Ik hang op, vader, want ik heb haast."

"Oké, succes ermee en eh... als je klaar bent, wil ik toch wel lezen wat je ervan gemaakt hebt."

Monique sprong op de fiets. Haar ouderlijk huis was niet ver bij hen vandaan en omdat ze de laatste dagen veel te veel stil had gezeten op haar werkkamer, was dit fietstochtje een welkome afleiding.

Al snel bleek dat haar vader gelijk had. Onderuit de kast diepte ze drie grote fotoalbums op. Ze legde ze op zijn bed en ging er naast zitten. Ze trok een willekeurig album op schoot en zag onbekende mensen op zwart-wit foto's. Vermoedelijk waren het de ouders van oma Fenna. Monique wist dat die die vrij kort na elkaar overleden waren en dat zij toen amper drie was. Eens denken. Die waren dus in 1976 overleden. Ruim 80 waren ze geworden, maar dat wist ze alleen van verhalen. Ze bladerde door en probeerde jaartallen uit te rekenen en opeens keek ze naar een foto van oma Fenna en opa Kees. Althans ze herkende oma. '25 jaar getrouwd' was er met de pen onder geschreven. Dat was het feest, het feest dat ze zich herinnerde van de foto's. Het was in 1967 geweest, precies een jaar voordat opa Kees overleed. Monique keek naar de andere foto's op die bladzijden, herkende haar moeder, die toen 24 was en oom Ben van 23. Zou Thom tussen de gasten zitten? Thom met zijn vrouw Marijke? Drie jaar ouder dan oma. Ze tuurde van de ene foto naar de andere. Ze zag dat er verschillende paren in aanmerking kwamen. Ze voelde een opgewonden kriebel in haar maag. Misschien keek ze op dit moment wel in het gezicht van Thom, zonder dat ze het wist en zonder dat hij wist dat ze hem zocht en nog zo graag de dagboeken geven wilde.

"Weet je dat ik niet eens weet wat voor werk Thom deed?" zei ze 's avonds tegen Bart.

Hij had gekookt en ze zaten samen te eten.

"Hij moest wel regelmatig op zakenreis. Hier in Noord-Holland, maar ook in Portugal. Hij had een keer een hele mooie taxfree sjaal voor haar gekocht op Schiphol. Bart, ik moet hem vinden. Ik wil Thom ontmoeten en in zijn ogen kijken, de ogen waarmee hij oma Fenna zo bijzonder maakte."

"Zeg, moet ik jaloers worden?" vroeg Bart plagend.

Monique schoot in de lach. "Op een man van 91? Ik moet trouwens vanavond even naar vader. Ik heb wat foto's gevonden in moeders albums. Ik denk dat hij daarop staat. Misschien weet vader wie die mensen zijn en of ze nog in leven zijn."

"Spannend."

Ze grinnikte. "Echt wel! Ik raak er gewoon opgewonden van."

"O ja? Lekker!"

"Ach, jij ook altijd," zei ze lachend.

"Ik ook altijd? Ik dacht dat jij de laatste tijd steeds zo graag wilde vrijen?" zei Bart.

Ze keek hem met grote ogen aan. Ze was even niet in staat iets te zeggen. "Wat voor datum is het?" vroeg ze terwijl ze hem nog steeds volkomen verbaasd aankeek.

"Wat is er met jou?"

"Wat voor datum hebben we nu?" herhaalde ze bijna

schreeuwend.

"De zevende."

"De zevende. De zevende? Bart, is dat echt waar?"

"Monique, wat is er?"

"Ik ben over tijd!" gilde ze. "Ik ben al drie dagen over tijd!"

Nu keek Bart net zo perplex als zij. "En dat merk je nou pas?"

"Blijkbaar." Ze lachte schuldbewust. "Het is voor het eerst dat ik er niet elke dag aan denk. Ik had opeens wat anders aan mijn hoofd."

"Dus dan had de huisarts toch gelijk," lachte Bart. "Je was er te veel mee bezig, daarom lukte het niet."

Monique kleurde. "Misschien wel, ja."

"Dan ben ik oma Fenna eeuwig dankbaar!"

"Als het echt waar is! Kom!" Ze kwam overeind. "We moeten een test kopen!"

"Nu?"

"Ja, nu! Hoe laat is het? Is het koopavond? Is er nog een drogist open? Of zijn er pompstations waar je zo'n ding kunt kopen?"

"Monique, schat, doe eens rustig!" Bart lachte, maar het was duidelijk aan zijn gezicht te zien dat hij ook opgewonden was.

"Ik noem hem Thom als het een jongetje is en Fenna als het een meisje wordt."

"Nou ja, zeg!" Bart keek haar met grote ogen aan. "Heb ik nog wat in te brengen?"

"Nee," zei ze kordaat. Ze liep in de richting van de gang. "Waar gaan we een test halen?"

"Kan dat dan al? Moet je niet minstens een week over tijd zijn?"

"Dat weet ik ook niet, maar we gaan er gewoon een halen!"

"En daarna naar je vader om foto's te kijken?"

"Nee, eerst terug naar huis om die test te doen. Die is toch echt wel veel belangrijker!"

Bart keek haar warm aan. Hij was blij met dit antwoord. Hij had de afgelopen dagen niet veel van Monique gezien al was ze voortdurend thuis, maar dat ze de test toch belangrijker vond dan Thom, dat stelde hem gerust. "Ik zal eens even gaan bellen om te zien waar we zo'n ding krijgen kunnen. Zet jij de boel dan in de afwasmachine?"

"Dat kan altijd nog!"

"Nee, dat doen we eerst. De machine kan dan draaien terwijl wij een test kopen en ik vind het afschuwelijk om thuis te komen in een huis waar de afwas nog op tafel of het aanrecht staat en ik geloof niet dat jij op dit moment in staat bent een fatsoenlijk telefoongesprek te voeren. Dus ik bel en jij verzorgt de afwas." Hij kwam op haar af, nam haar in zijn armen en kuste haar liefdevol op haar neus. "Zou het echt waar zijn?"

"Vader, ga zitten. Ik heb groot nieuws!" Monique kwam de huiskamer in rennen en keek Roel stralend aan.

"Groot nieuws? Je kwam toch iets over de foto's vragen? En wat zijn jullie laat."

"Ja, maar ondertussen is er iets gebeurd. Zit je goed?"

Hij keek haar onderzoekend aan. "Gebeurd?"

"Ik ben in verwachting. Je wordt opa!"

Zijn mond viel open. Het leek een paar seconden te duren voor het echt tot hem doordrong. "Opa?" fluisterde hij toen.

"Ja, jij!"

Zijn ogen straalden, maar toch zag Monique het verdriet erin. Ook haar gezicht veranderde. Ze knikte. "Ik weet wat je denkt. Wat jammer dat moeder dit niet meer mee mag maken, maar vader, moeder weet het heus wel, hoor! Ik ben ervan overtuigd dat ze ergens op een wolk zit en naar ons kijkt en alles weet."

Roel knipperde met zijn ogen om de tranen weg te werken. Hij stond op en liep op zijn dochter af. "Monique, wat een heerlijk nieuws. Ik ben zo blij voor jullie. Ik weet dat jullie het graag wilden. Gefeliciteerd. Jij ook, Bart."

"Bedankt, vader." Ook Bart glunderde.

"Hoe lang al?" vroeg Roel.

"Pas net!" jubelde Monique. "Je bent de eerste die het weet. We weten het zelf nog maar tien minuten."

"Kom je nu van de dokter vandaan dan?" Hij keek op zijn horloge.

"Nee, we hebben een test gekocht."

"Een test? Dus de dokter heeft niet…"

"Nee, vader, tegenwoordig kan je dat zelf testen en het is echt waar. Ik ben zwanger."

"Maar…"

"Ja, ja, ik maak morgen meteen een afspraak met de dokter om te vragen wat ik nu moet doen, maar die testen zijn echt honderd procent betrouwbaar."

Roel schudde lachend zijn hoofd. "Ik begin moeite te krijgen om met de moderne tijd mee te gaan."

"Poeh, je bent amper 62, dat is toch nog jong! Kom, niet doen alsof je oud bent. Oma Fenna, die was oud. Waar is dat ene album trouwens gebleven?"

"Hier." Roel pakte het van de tafel. "Ging het om deze foto's?"

"Ja. Wie zijn dat?"

"Ik heb er al een poosje naar zitten turen net, maar ik weet het niet. Natuurlijk herken ik oma en opa en Laura en mezelf en oom Ben met tante Maria, die toen nog zijn verloofde was, maar verder weet ik het niet."

"Niet? Maar ik moet het weten."

"Waarom toch, meisje? Wat is er toch aan de hand?"

"Het heeft met oma's dagboeken te maken."

"Dagboeken?"

Monique kleurde. Nu had ze zich toch versproken. Tot nu toe wisten alleen Bart en zij van de dagboeken. "Ja, ik heb dagboeken van haar gevonden in het ladekastje."

"En daar schrijf je over?"

Ze knikte.

"Dat is toch niet netjes?"

Monique aarzelde een moment, maar gaf toen toch antwoord. "Oma was in stilte verliefd en ik wil weten op wie, want ze noemt zijn naam nergens."

"In stilte verliefd?" Roel keek zijn dochter verward aan. "Oma was altijd alleen."

"Precies, daarom interesseert het me ook zo. Hoe kan je je hele leven verliefd op iemand zijn zonder iets met hem te hebben? Ze heeft ongelooflijk veel van hem gehouden."

"Maar ze had niets met hem?"

"Nee."

"En daar ga jij over schrijven?"

Monique knikte enthousiast.

"Is dat nou wel goed? Als oma het altijd geheim gehouden heeft, waarom moet jij het dan aan de grote klok hangen?"

"Omdat ik nog nooit zoiets moois gelezen heb. Oma schrijft zo ontzettend prachtig. Ik moet daar iets mee doen. Ik moet het gewoon en ik denk dat oma het ook goed vindt. Ze was altijd trots op mij, dat ik ging schrijven. Ze heeft al mijn interviews en columns en korte verhalen gelezen. Ze zei ook regelmatig tegen me dat ik eens over een boek moest denken. Ze wist zeker dat ik dat kon." Monique schoot in de lach. "Ik weet nu pas van wie ik mijn schrijfader geërfd heb. Oma schreef nog veel mooier dan ik, maar ze heeft er nooit iets mee gedaan. Misschien dat ze daarom zo trots was op mij, dat ik er wel iets mee ging doen. Nou, kijk nog eens naar die foto's en probeer het nog een keer."

"Monique, ik weet niet wie het zijn. Je moet oom Ben maar vragen. Die zal ze vast wel herkennen. Ik kende Laura en haar ouders nog maar een paar jaar op dat feest en die vrienden had ik nog nooit gezien. Oom Ben moet ze toen zijn hele leven al gekend hebben. Bel hem."

Een half uur later waren oom Ben en tante Maria er, al had het Monique wat moeite gekost om hem over te halen in zijn auto te stappen. Natuurlijk had ze naar hem toe kunnen rijden, maar het was duidelijk dat haar vader het leuk vond als oom Ben weer eens bij hem kwam. Sinds Laura overleden was, was het contact met oom Ben en tante Maria een stuk minder geworden.

"Monique heeft fantastisch nieuws," zei Roel meteen toen zijn zwager en schoonzus binnenkwamen.

"Vader!" riep Monique lachend. Ze had het nog niet meteen aan iedereen willen vertellen, maar ze begreep hem wel. Hij moest het ook kwijt en had verder niemand anders, behalve Moniques broer dan. "Peter weet het nog niet eens!"

"Je bent in verwachting?" raadde tante Maria meteen.

"Ja!"

"Gefeliciteerd, meisje. Wat leuk voor je. Hoe oud ben je eigenlijk?"

"33"

"Dan werd het ook tijd."

"Het lukte niet eerder en bovendien zijn we vorig jaar pas getrouwd, tante, maar hier zijn de foto's. Kennen jullie er iemand van?"

Tante Maria wierp een korte blik in het album en schudde haar hoofd, maar oom Ben bekeek de foto's uitgebreid. Hij knikte. "Dat zijn Piet en Ans en dat zijn Jo en Anton en die... Hoe heetten zij ook alweer? O ja, Gerard en Ria en dat zijn en Henriëtte en Max."

"Leven die allemaal nog? Waren zij ook op oma's begrafenis?"

"Lieve help, wat doe jij moeilijk. Waarom moet je dat toch weten?"

"Ik wil over oma's leven schrijven, dat heb ik toch verteld."

"Maar waarom al die vrienden erbij halen?"

"Daarom. Ik wil een compleet plaatje hebben," zei ze.

"Monique heeft dagboeken gevonden," zei Roel ter verduidelijking.

"Dagboeken? Van mijn moeder?" Oom Ben keek Monique verrast aan.

Ze knikte, maar vond het vervelend dat haar vader dit gezegd had.

"Maar dan zijn die voor mij. Ik ben de enige directe erfgenaam van haar," zei oom Ben.

"Ze waren voor iemand anders bedoeld," zei ze zacht, "en die zoek ik. Ik wil ze aan hem geven."

"Niks ervan. Ze zijn voor mij," hield oom Ben vol. "Als iemand het recht heeft om te weten wat mijn moeder schreef, dan ben ik dat."

"Misschien wel," zei Monique aarzelend, "maar toch denk ik dat ze wil dat ik ze heb."

"Monique heeft gelijk," bemoeide tante Maria zich ermee. "Ik denk ook dat zij ze beter kan hebben dan jij. Zij is vrouw en ze is schrijfster. Ze kan er misschien beter mee omgaan dan jij."

"Nou ja, zeg. Het gaat wel over mijn moeder. Ik wil ze hebben!"

"Pas als ik ermee klaar ben," zei Monique. "Ik heb ze nodig voor mijn boek over oma." En ondertussen zoek ik Thom, dacht ze. Dan geef ik ze aan hem! "Nou, alsjeblieft, help me. Wie van die mensen waren op oma's begrafenis."

"Ik help je alleen als ik die dagboeken krijg," hield oom Ben vol. "Als ik ermee klaar ben," zei Monique eigenwijs. Ze duwde hem het album onder de neus. Oom Ben keek haar aan en zag de ernst op haar gezicht. "Oké, je doet maar wat je niet laten kunt." Hij keek naar de foto's. "Volgens mij was niemand van hen op de begrafenis. Piet en Ans leven al jaren niet meer. Anton is ook overleden en Jo zit geloof ik al eeuwen in een verpleegtehuis. Gerard en Ria… tja… wat is daarvan geworden? Dat weet ik niet. Ik heb hun namen nooit meer gehoord. Misschien had oma ze uit het oog verloren? Max en Henriëtte waren er ook niet. Dat weet ik zeker. Geen van beiden."

"Had oma dan nog meer vrienden? Vrienden die niet op dat feest waren?"

"Monique, ik weet het echt niet meer, hoor. Het is allemaal zo lang geleden en het waren mijn ouders' vrienden. Niet de mijne."

"Maar je weet toch wel wie er bij jullie over de vloer kwamen toen je nog een kind was en thuis woonde."

Oom Ben dacht diep na. "Ik was 15 toen we van Vlaardingen naar Enkhuizen verhuisden. Ik herinner me dat we nog een keer zijn wezen logeren bij vrienden in Vlaardingen. Dat waren Lydia en Leo, maar waarom die niet op het feest waren, weet ik niet. Ik hoorde moeder later zelden over hen praten. Vlaardingen lag ook niet naast de deur, dus de contacten verwaterden gewoon."

Lydia en Leo, dacht Monique. Leo begon met een L. Zou hij het zijn? Maar ze had niemand met een L gevonden…

"En dan waren Maarten en… Tja, haar naam ben ik vergeten, maar die waren er ook nog."

"Ik herinner me opeens een oude man op oma's begrafenis," schoot het Roel te binnen. "Hij liep met een stok. Hij was alleen en zag er erg verdrietig uit. Heb jij die niet gezien, Ben?"

Oom Ben knikte. "Ja, nu je het zegt. Dat klopt, maar hij stond heel bescheiden op de achtergrond en hij is ook niet gebleven na die tijd om te condoleren."

"Dat klopt, ja. Hij was opeens weg. Weet je niet wie dat was?"

"Nee, hij deed me geen belletje rinkelen. Ik weet nog wel dat ik hem bekeek. Hij leek zo intens verdrietig, maar dat vond ik logisch. Als je zo oud wordt, hou je geen vrienden meer over. Elke maand sterft er wel iemand uit je kennissenkring. Daar word je verdrietig van. Misschien was moeder zijn laatste kennis van zijn leeftijd. Dat dacht ik toen ik naar hem keek."

Dat was hem dus, dacht Monique. Hij was er toch! Ze moest hem gezien hebben, maar ze wist het niet!

"Weet je echt niet wie het geweest kan zijn? Leo van Lydia misschien?"

"Is best mogelijk, Monique. Best mogelijk. Ik heb ze niet meer gezien sinds die keer dat we bij hen logeerden en dat is dus minstens 45 jaar geleden. Een mens kan erg veranderen in 45 jaar. Ik begrijp alleen nog steeds niet waar je op uit bent. Wat zoek je en wat hebben mijn moeders dagboeken ermee te maken?"

Monique bleef hem het antwoord schuldig. Ze vond het op de een of andere manier niet gepast om het aan oom Ben te vertellen. Ze had het gevoel dat ze oma's geheime liefde zou besmeuren als ze het zomaar zei. Het was al vervelend genoeg dat ze het haar vader gezegd had. "Ik schrijf erover en als het af is, mag je dat lezen," zei ze alleen maar. "Dan snap je misschien waarom ik die dagboeken zo graag houden wil en nu niets meer vertel."

Thuisgekomen rende ze naar boven.

"Hé, kalm aan. Je bent in verwachting!" riep Bart haar lachend na.

Ze bleef even stokstijf staan. Dat was waar ook! Hoe had ze dat kunnen vergeten? Maar het was nog zo pril, zo nieuw. Ze was nog niet aan de gedachte gewend. Ze liep door en pakte oma's adressenboekje en zocht net zo lang tot ze Lydia en Leo gevonden had. Tot haar grote teleurstelling zag ze een streep door hun namen. Ze waren overleden of elk contact was verbroken. De eenzame man op de begraafplaats kon dus Leo niet geweest zijn en zo bleef de vraag wie Thom in werkelijkheid was nog steeds onbeantwoord.

# Hoofdstuk 5

*Lang nadat je weg was, brandde mijn huid nog, gloeide mijn lichaam, voelde ik je handen alsof je er nog was. Je ogen, de blik in je ogen, ik smelt. Je handen, zo zacht, zo lief, zo teder.*

*Het was zo overweldigend fijn.*

*En je zei: "Tot ziens!"*

*Ik zal proberen er niet op te hopen.*

*Het gaat ook opvallen natuurlijk, wanneer je hier te vaak komt. Of zou er iets anders te bedenken zijn?*

*"Ik hou van je", zei je, maar dat moet je niet zeggen, mag je niet. Ik zei nee, nee, maar jij knikte, heel eigenwijs.*

*O, natuurlijk hou ik ook van jou, maar het enige wat we samen kunnen krijgen, zijn een paar gestolen uurtjes, gestolen, want je bent niet van mij, wordt niet van mij.*

*Het was zo oneindig heerlijk. Mijn hele lichaam gloeit en voelt zo bijzonder aan. Jij maakt me bijzonder.*

*Jij.*

*Ik werk verslavend, zei je. Anders jij wel.*

*Toch maar proberen er niet aan te wennen?*

*Proberen.*

*Als dat ooit zou kunnen?!*

*Wat ben je lief!*

Fenna keek op de klok. Over uiterlijk een kwartier moest ze in de auto zitten of zou ze toch met de fiets gaan? Ze was het immers nog helemaal niet gewend om zelf te rijden. Al had ze vorige week haar rijbewijs gehaald. In één keer! Ze voelde zich zo trots. Bijna 51 en zomaar geslaagd. Ze knikte en besloot de fiets te nemen. Ze moest midden in het centrum zijn en parkeren was misschien moeilijk. Vooral nu ze aan tijd gebonden was. Ze stond op, keek in de spiegel, zag haar stralende ogen, maar, tot haar eigen verrassing, ook, dat ze er jonger dan vroeger uitzag. Laura had gelijk. Het viel echt op!

*Je bent zo mooi, Fenna! Zo mooi!*

Ze glimlachte naar zichzelf, trok haar jas aan en liep op de schuur af. Even later zat ze op de fiets. De wind waaide door haar korte, geverfde haren, haar knieën waren bloot doordat de rok opkroop tijdens het fietsen, maar het kon haar niets schelen. Ze voelde zich jong en mooi en dat was zo opvallend, dat ze ervan genoot. Zo jong en mooi had ze zich niet eens gevoeld toen ze nog jong en mooi was!

Ze vond de winkel gemakkelijk, omdat ze hem de dag ervoor al had opgezocht. Ze zette de fiets tegen de muur en stapte naar binnen.

"U bent vast Fenna!" Een vriendelijke vrouw van haar eigen leeftijd kwam op haar af. Fenna knikte.

"Ik ben Gerrie. Laten we er even bij gaan zitten. Wat voor ervaring hebt u op verkoopgebied?"

Fenna bloosde. "Ik zal maar eerlijk zijn. Helemaal niets. Het is ruim 30 jaar geleden dat ik buitenshuis gewerkt heb, maar ik kreeg er behoefte aan en vooral erg veel zin!"

"Geen enkele ervaring? Tja, daar zit ik niet op te wachten." Gerrie keek bedenkelijk.

"Maar zo moeilijk kan het toch niet zijn?" vond Fenna. "Ik kan prima met mensen omgaan, ik ben vriendelijk, altijd beleefd, heb geduld…"

"Dat laatste is wel nodig, ja. Klanten kunnen zo veel schoenen passen voordat ze uiteindelijk besluiten om toch niets te nemen. Maar kan je met geld omgaan?"

"Natuurlijk. Ik ben altijd huisvrouw geweest. Dan moet je wel met geld om kunnen gaan. Ik kan prima rekenen en ik weet zeker dat ik het snel genoeg in me opneem wat ik hier moet weten."

"Maar als je nog nooit gewerkt hebt…" Gerrie aarzelde duidelijk.

Op dat moment kwam er een klant binnen en Gerries gezicht betrok. "Daar heb je er zo een. Wil altijd de nieuwste snufjes passen, maar ze heeft hier nog nooit iets gekocht."

"Ik help haar wel!" Fenna stond op, al begreep ze zelf niet waar ze de moed vandaan haalde. Ze liep vriendelijk glimlachend op de vrouw af. "Goedemorgen, kan ik u ergens mee helpen?"

"Ben jij nieuw hier?"

"Inderdaad, dus ik weet niet wat uw smaak is, maar ik vind vast wel iets wat u leuk vindt."

"Nou, ik wilde iets voor het voorjaar kopen. Daar hebben we nu nog niets aan, maar dan ben ik voorbereid."

"Dat is een prima idee. Het voorjaar komt altijd onverwachts. Het is mooi om dan meteen de juiste schoenen aan te kunnen trekken. Met een hakje of liever niet?"

"Natuurlijk met een hakje."

"Oké, ik haal even wat voor u op. Welke maat? 36?"

De vrouw straalde en keek trots naar haar voeten. "38," zei ze glunderend.

Fenna glimlachte en draaide zich om. De schoenen stonden keurig in de rij en maat 38 was snel gevonden. Snel koos ze een paar schoenen van het rek en liep weer terug naar de vrouw. "Bekijkt u deze eens, dan zoek ik ondertussen nog een paar andere." Ze liep naar Gerrie toe. "Heb je nog meer schoenen in maat 38?"

"Wij wel, maar je hoeft je niet uit te sloven, het lukt je toch niet."

"Wat doe jij dan met zo'n klant?"

"Niet meer dan vijf paar schoenen laten passen en dan laten merken dat ze op kan stappen."

"Oké, maar waar vind ik er nog een paar?"

Gerrie ging haar voor naar het magazijn. "Hier staan alle maten 38," wees ze.

Fenna wierp een snelle blik op de dozen. Eigenlijk had ze geen idee wat erin zat, dus rukte ze er een paar deksels af en nam op goed geluk wat schoenen mee. "Die staan u prachtig!" riep ze verrast uit toen ze weer bij de vrouw aankwam en zag dat ze een paar schoenen had aangetrokken.

"Vind je?"

"Ja, dat vind ik wel. Als gegoten en ze maken uw benen nog mooier."

De vrouw bloosde. Fenna zag het en genoot! "Hier is een spiegel. Als u zichzelf bekijken wilt."

Ze liep op de spiegel af en knikte tevreden. "Je hebt gelijk. Mijn benen worden er nog mooier door! Wat heb je nog meer meegenomen?"

Fenna liet haar de schoenen zien, maar keurde elk paar af. "Nee, ze halen het niet bij dat ene paar dat u droeg toen ik terugkwam." Ze pakte ze en hield ze haar voor. "Doe ze nog eens aan en loop er een stukje op."

De vrouw deed wat Fenna gezegd had. Ze paradeerde door de winkel en telkens als ze langs de spiegel kwam, wierp ze er een blik in.

"Prachtig," zei Fenna. "Ze staan u schitterend."

De vrouw pakte de doos waar ze ingezeten hadden en fronste haar wenkbrauwen. "Het zijn niet de goedkoopste, zeg!" Ze leek teleurgesteld en Fenna begreep dat ze op het punt stond zonder schoenen de winkel te verlaten.

"Logisch. Dat stralen ze toch ook uit! En van dure schoenen heb je altijd langer plezier dan van goedkope. Ik kan natuurlijk niet in uw portemonnee kijken, maar als u ze zich zou kunnen permitteren, weet ik zeker dat u van deze schoenen heel wat meer plezier hebt dan van een ander paar. Deze schoenen lijken echt voor u gemaakt en u zult zien dat er naar u gekeken wordt als u ze draagt."

"Jij wint," zei de vrouw. Ze trok ze uit, trok haar eigen schoenen weer aan, greep de doos en stevende op de kassa af. "Deze graag," zei ze tegen een perplexe Gerrie.

"Zeker weten?" vroeg Gerrie.

"Hoezo?"

Gerrie zweeg en dat was wel zo verstandig. Ze sloeg het bedrag aan op de kassa, nam het geld aan, gaf wisselgeld terug, deed de doos in een tasje en keek de vrouw nog steeds volkomen verbaasd na. "Hoe heb je dat gedaan?" vroeg ze aan Fenna.

Fenna lachte. "Gewoon, eerlijk zijn, want dat was ik echt."

"Wanneer kun je beginnen?"

"Hoe bedoel je?"

"Wanneer kan je hier komen werken?"

"Nu!" zei Fenna lachend.

"Oké, dan ben je met ingang van nu aangenomen."

"Nee toch?"

"Ja!"

"Lieve help. Weet je het zeker?"

"Hoezo?" Gerrie lachte en Fenna's wangen werden zo rood, dat ze het liefst even naar buiten liep om de frisse wind ter afkoeling langs haar gezicht te voelen strijken. "Ik ben aangenomen," herhaalde ze zacht.

"Zo is dat en we hebben nu koffiepauze. Kom mee, in het magazijn hebben we een tafel met stoelen en een koffiezetapparaat."

Toen ze om half zeven die avond haar huis binnenkwam, schopte ze als allereerste haar schoenen uit en dat was een zeer bevrijdend gevoel. Ze had haar mooie schoenen aangetrokken voor de sollicitatie. Schoenen met een hakje. Niet geschikt om er een hele dag op te lopen. Vervolgens liet ze zich op de bank zakken en keek ze stralend om zich heen. Alsof ze haar huiskamer nog nooit gezien had. "Ik ben verkoopster!" riep ze tegen de gordijnen, die nog open waren. "Schoenenverkoopster in de chicste zaak van Enkhuizen!" Ze pakte een kussen van de bank en gaf er een enthousiaste klap op. "Thom, ik ben aangenomen! Je had gelijk! Ze vonden me goed genoeg!" Haar ogen straalden, maar het volgende moment versomberden ze. Ze kon Thom niet bellen om het te vertellen. O ja, natuurlijk kon ze straks, na het eten even naar hem bellen, maar de kans dat ze Marijke aan de telefoon kreeg...

Ze zuchtte. *Je bent getrouwd, mijn lief. Ik weet het maar al te goed, maar je hebt iets in me wakker gemaakt, iets, wat ik niet kende en wat niet meer terug te draaien is. Ik ben nog nooit voor mezelf opgekomen. Ik heb nog nooit iets voor mezelf geëist, verlangd. Ik ben altijd tevreden geweest met*

*wat ik kreeg, heb nooit naar meer gevraagd, heb me altijd geschikt naar de*
*omstandigheden. Maar nu... nu, Thom, nu ben ik voor het eerst egoïstisch*
*en denk ik alleen aan mezelf. Nu neem ik wat ik krijgen kan en denk ik*
*even niet aan Marijke! Ik zal geen claim op je leggen, dat mag ik niet, maar*
*ik zal wel genieten van wat ik van je krijg!*

Ze stond op, pakte toch de telefoon, maar belde Laura. "Meisje,
ik heb een baan!" riep ze nog voor Laura haar naam had kunnen
zeggen.

"Moeder! Als wat?"

"Als schoenenverkoopster bij 'Le Soulier'."

"Die deftige zaak?" riep Laura verbaasd uit.

"Ja, ik ben vanmorgen wezen solliciteren en ik heb meteen de hele
dag al gewerkt. Ik geloof dat ik twaalf paar schoenen verkocht
heb."

"Moeder! Wat verrassend!"

"Ze heeft me aangenomen voor de koopavond en de hele
zaterdag en woensdag."

"Gefeliciteerd, zeg. Dat vind ik echt heel leuk voor u, moeder! U
klinkt ook zo geweldig! Ik herken u bijna niet."

Fenna glimlachte. "Ik zelf soms ook niet. Het is ongelooflijk wat
een rijbewijs met een mens doet."

Laura schoot in de lach. "Dat zal het wel niet alleen zijn, denk ik,
maar ik vind het prima. U wordt er alleen maar jonger van en dat
vind ik gewoon leuk!"

Na haar gesprek met Laura belde ze Ben op, maar die was lang zo
enthousiast niet, al feliciteerde hij haar wel. Weer glimlachte ze.
Ben was altijd veel minder uitbundig geweest dan Laura. Hij had
meer van Kees weg. Een binnenvetter. Ze schudde haar hoofd.
Had Laura dat uitbundige dan van haar? Maar zo was ze vroeger
toch niet?

Ze draaide nog een derde nummer. "Moeder? Met mij, Fenna. Ik
heb een baan."

"Nee, toch. Is het zo erg met je gesteld? Had dat dan gezegd!
Vader en ik hebben nog wel wat geld op de bank staan!"

Fenna schoot in de lach. "Ik wilde werken om niet de hele dag in mijn eentje in huis te zitten, niet omdat ik geen geld meer heb."

"Maar je hoeft je thuis toch niet te vervelen? Heb je wel gestofzuigd vandaag en de ramen gelapt?"

"Moeder! Ik wou graag iets anders en trouwens, was ik vroeger een vrolijke kleuter of lachte ik nooit?"

"Hè? Wat bedoel je?"

"Was ik vrolijk of ernstig?"

"Jij was altijd vrolijk! Je huppelde over het erf…"

Even viel er een stilte. Aan beide kanten.

"De oorlog heeft roet in het eten gegooid," zei Fenna's moeder toen zacht. "We hebben je naar huis gehaald en jij bent in de armen van Kees gevlucht. Nee, de oorlog heeft je geen goed gedaan."

*Jij laat me voelen wat het is eindelijk weer mezelf te zijn, om eindelijk mezelf terug te vinden! Ik weet dat het niet mag, mijn liefde voor jou, maar deze gevoelens neemt niemand meer van me af. Je maakt me gelukkiger dan ik ooit geweest ben en als ik nog meer van jou krijgen kan, dan neem ik het met beide handen aan. Ik wil eindelijk leven!*

Ze schrok op in haar gedachten door de telefoon die rinkelde. Ze nam op in de veronderstelling dat het Laura wel zou zijn omdat ze nog iets wilde vertellen, maar het was Marijke. *Een ijskoude hand klemde zich om mijn keel. Ik wilde niet met haar praten, want ik wilde haar man.*

"Zeg, je hebt nu toch je rijbewijs. Ik dacht dat je dus wel eens naar ons toe kon komen en een nachtje blijven!"

*De hand klemde zich nog dichter om mijn keel. Ik wist niets terug te zeggen.*

"Ben je er nog?"

"Ja, ik schrik ervan," zei ze naar waarheid. "Vlaardingen is ver weg. Ik weet niet of ik dat al aankan."

"Het was maar een voorstel, maar het lijkt me een leuk idee. Ik heb je al zo lang niet gezien en ik voel me zelf niet goed genoeg om dat hele eind met Thom mee te rijden. Wat zullen we afspreken?"

"Ik moet er nog even over denken, Marijke. Het is echt een eind. Dat heb ik nog nooit gedaan!"

*Schijnheilig was ik. Ronduit schijnheilig. Het idee om een dag en nacht bij jou te zijn, wond me op, deed me gloeien, maar om Marijke erbij te hebben. Dat kon toch niet? Jouw ogen, die naar mij kijken, terwijl Marijke erbij zit! Jouw handen, die ik vast zou willen pakken, terwijl zij naast jou zit.*

Fenna zuchtte, stond op, maakte iets te eten voor zichzelf en schreef nog een paar laatste woorden in haar dagboek. *Ik denk zo veel aan jou. Zo ontzettend veel. Meer dan goed voor me is. Want er komt een dag, er komt onherroepelijk een dag, dat we niet verder zullen gaan. Jij bent niet van mij. Jij hebt al een vrouw. Je bent van haar, Thom, niet van mij!*

# Hoofdstuk 6

*Ik lig in bed. Alleen, met mijn gedachten. Het is donker, heel donker, zelfs als ik mijn ogen niet gesloten heb. Toch zie ik je gezicht haarscherp voor me. Je mond, je neus, je ogen en vooral de heerlijklieve blik daarin van wanneer je naar me kijkt.*

*Door het geopende raam komt een zachte voorjaarswind, die teder mijn haren streelt, mijn gezicht, mijn naakte schouders, die boven de deken uitkomen, zo teder, als verder alleen jij dat maar kunt.*

*Een voorjaarsbries, die de geur met zich draagt van uitbottende bomen, van knoppen die op barsten staan, van nieuw leven en van nieuwe hoop op dat leven. En daarnaast een lichte geur van mest, die over de velden hangt en zelfs de woonwijk ingekomen is en daarmee vertelt van de weidsheid om Enkhuizen heen, van de velden, de schapen en de vogels, van de natuur in zijn volle glorie, nu met een deken van duisternis bedekt.*

*Naast mijn kussen staat de telefoon. Nee, ik weet wel dat je vannacht niet belt, dat deed je gisteren al, ik weet wel dat ik je zachte, intenslieve stem niet zal horen deze nacht, maar de gedachte zo vlak bij je te liggen, laat me opnieuw de heerlijke woorden horen die je tegen me zei en ook die, die je niet zei.*

*In de stilte van de zwijgende telefoon, van de lichte bries over mijn lichaam, van jouw strelingen, aanrakingen, liefkozingen, hoor ik plotseling opnieuw het schelle schreeuwen van twee verliefde scholeksters, samen duikelend van hoge hoogtes naar diepe dieptes in hun adembenemende baltsvlucht. Ze doen dit nu al dagen en nachten lang, maar overdag valt het niet zo op, omdat andere vogels dan meeschreeuwen, fluiten, roepen, omdat mensen dan geluiden maken, brommers, auto's, vrachtwagens, een bus. Maar 's nachts, in die diepe stilte, waarin iedereen en alles slaapt en ik aan jou lig te denken, dan hoor ik ze, soms van heel ver weg, soms dicht bij mijn huis en denk ik nog sterker aan jou, dan ik daarvoor al deed.*

*Twee mooie zwartwitte vogels die laten zien dat ze indruk op elkaar hebben gemaakt, dat ze elkaar bijzonder vinden, dat ze van elkaar houden, dat ze beminnen willen, zo graag beminnen willen dat ze er de meest acrobatische* toeren voor over hebben om het elkaar te vertellen, de meest scherpe bochten nemen die je je voor kunt stellen, scherend langs boomtoppen, pannendaken, slapende schapen, mijn huis, zo graag beminnen willen dat de hele wereld het weten mag en ze het dagen en nachten uitschreeuwen van geluk.

En mijn hart staat even stil. Ik zou ook iets willen schreeuwen, ook de duisternis willen doorbreken, ook de wereld iets willen vertellen, maar ik fluister het en zucht onhoorbaar "Ik hou van jou" en ben minstens zo gelukkig, scheer samen met jou over de toppen van dit leven, hoger, ja, veel hoger nog en de acrobatische toeren die jij en ik samen uitvoeren, zijn kunstiger nog dan die van de vogels, want jouw handen strelen mij en de mijne voelen jouw lichaam, terwijl je er helemaal niet bent.

Ik gloei vanaf mijn tenen tot aan de punten van mijn haar, ik voel een verlangen dat gek maakt én tevreden tegelijk, ik wil meer van jou én ben voldaan, ik ben gewoon onzinnig gelukkig.

Maar de steeds frisser wordende wind koelt de huid van mijn brandende lichaam af en ik trek de deken hoger in het beschermende, veilige gevoel dat jij het bent en strek mijn lichaam tussen mijn nieuwe lakens, die slechts bedrukt zijn met herinneringen aan jou en ik kruip in elkaar met jou om me heen, warm en geborgen en zalig.

Ik moet toch geslapen hebben, want met een schok word ik wakker door één of ander krijsend lied, dat de radiowekker loeihard mijn kamer in smijt met de gelukte bedoeling mijn onderbewustzijn wakker te maken. Wild sla ik op de knop, gestoord in mijn eenzaamheid, waarin ik het gevoel had niet alleen te zijn. De stilte die volgt, is niet de stilte van 's nachts, maar de stilte van de ochtendgeluiden, de buurman die al naar zijn werk gaat, een jongen die kranten bezorgt.

Nog even trek ik de deken strakker om me heen om jou te voelen, om nog even heel dicht bij je te zijn en ik voel de warmte van je lichaam, het vertrouwde ervan, ik voel me thuis in je armen, ik druk een kus op je oogleden, waarachter de blik van liefde voor mij schuilgaat en ik sta op. Een nieuwe dag is begonnen en ik word in de schoenenzaak verwacht.

Maar als ik op mijn fiets stap en de frisse voorjaarswind van 's morgensvroeg inadem, mijn longen vul met nieuw leven, nieuwe hoop, hoor ik weer (of nog?) de scholeksters hun baltsroep schreeuwen. Ze zijn nog niet klaar met het vertellen over hun liefde, nog is voor hen het einde niet in zicht en ik weet op

*datzelfde moment dat ook ik mag blijven schreeuwen, fluisteren, houden van,*
*want ook voor mij en voor jou is het einde er (heerlijk gelukkig) nog niet. Ik*
*heb je lief.*

*ik stapte naar buiten*
*en werd verrast door het weer*
*de stralende zon*
*het voorjaar*
*nieuw leven*
*nieuwe hoop*
*op nieuw geluk*
*en wist*
*dat ik nooit*
*nooit*
*met je zou kunnen delen*
*de onverwachte warmte van de stralen*
*op mijn gezicht*
*de plotselinge kriebeling*
*van alles nieuw*
*alles jong*
*alles weer*
*nooit met je zou kunnen delen*
*de dingen die een vrouw doet*
*met haar man*
*door een winkelstraat lopen*
*in een spiegelruit kijken*
*naar een schouwburg gaan*
*een bioscoop*
*concert*
*je verjaardag met je vieren*
*een cadeau voor je kopen*
*(want zij mag niet weten*
*van wie je het kreeg)*
*nooit*
*iets met jou zou kunnen delen*

*dan alleen*
*af  en toe*
*het bed*

# Hoofdstuk 7

"Je hebt het gehaald! Zie je wel dat je het kunt!" Enthousiast
liep Thom op Fenna's auto af en trok haar portier open. Fenna
zelf zat met een rood hoofd van de inspanning achter het stuur.
Ze had het inderdaad gehaald. Helemaal van Enkhuizen naar
Egmond aan Zee! Zelf gereden.
"Stap uit, lief!" Hij keek haar stralend aan en ze voelde zijn
armen al voor hij haar aanraakte.
Ietwat verkrampt kwam ze de auto uit. De rit had haar veel
van haar zenuwen gevergd en ze had even tijd nodig om bij te
komen.
"Wat is er?"
"Zere nek van de inspanning."
"Die masseer ik zo voor je!" zei hij opgetogen. Hij sloeg zijn
armen om haar heen, drukte haar dicht tegen zich aan en
voelde haar lichaam langzaam ontspannen. "Ik heb zo naar je
verlangd," fluisterde hij in haar oor.
"En ik naar jou," zei ze terug. "Zo ontzettend!"
Hun lippen vonden elkaar en minutenlang werd er geen woord
gezegd, genoten ze uitsluitend van elkaars nabijheid. Toen
maakte hij zich van haar los. "Waar is je tas?"
Ze liep naar de kofferbak en opende hem. Hij haalde de tas
er voor haar uit. *Altijd zo galant, altijd zo attent. Het ontroert me
telkens weer.* Hij sloeg een arm om haar heen en duwde haar in
de richting van zijn auto. Daar pakte hij zijn tas en vervolgens
liepen ze naar de ingang van het hotel.
"Wat is het hier chique," fluisterde ze. "Dat is toch veel te
duur!"
"Laat dat maar aan mij over," zei hij glimlachend. "Ik heb jou
hier uitgenodigd."
"Maar ik kan je nooit zoiets duurs teruggeven."

"Lief," zei hij, "wat jij me geeft, is met geen goud te betalen. Laat mij nou het plezier je op deze manier een beetje te verwennen."

Ze keek haar ogen uit in de luxe hotelkamer met een heel groot tweepersoonsbed en eigen bad, douche en toilet. "Ben jij gewend om zo te leven?" vroeg ze diep onder de indruk.

Hij glimlachte verontschuldigend, merkte dat ze niet helemaal op haar gemak was, liep op haar af, nam haar opnieuw in zijn armen. "Zullen we even naar buiten gaan?"

"Graag!"

"We kunnen kiezen, zei de man achter de balie. Je hebt het gehoord."

"Dan kies ik voor het strand," zei Fenna.

"Niet voor de winkelstraat met terrasjes?"

"Dat kan daarna nog!" Ze lachte.

Het strand was vlakbij en toen ze er aankwamen hield Fenna haar adem in. "Wat mooi! Wat is de zee hier mooi! Zo heel anders dan het IJsselmeer."

"Maar je kent de zee toch wel?" Hij keek haar lachend aan.

Ze schudde echter haar hoofd. "Nee, een keertje zijn we met de bus naar Hoek van Holland geweest toen de kinderen nog klein waren, maar verder nooit."

"Terwijl je in Vlaardingen woonde!"

Ze schoot in de lach. "Thom, mijn leven is zo anders verlopen dan het jouwe. Daar hadden we echt het geld niet voor! Kees was stratenmaker. Hij verdiende niet veel." Ze trok haar schoenen uit en liep een eindje over het strand. "Dat moet jij ook doen!" riep ze blij uit. "Wat voelt dat lekker, dat zachte zand onder je blote voeten. Kom, ik wil de zee voelen!" Als een klein kind rende ze naar de zee en zonder te stoppen liep ze het water in, dat al snel tot over haar enkels kwam. Ze bleef stil staan en voelde hoe de golven het zand onder haar voeten wegzogen. Ze lachte. "Kom, Thom. Voel eens hoe leuk!" Enigszins aarzelend trok hij ook zijn schoenen uit en zijn sokken, rolde zijn broekspijpen een eindje op en kwam naast haar staan. Hij lachte en keek haar vol liefde aan. "Dat vind ik nou zo geweldig aan jou. Dat blije, haast kinderlijke nog, zo meisjesachtig. Ik hou van je."

*Nee, nee! Zeg dat niet. Dat mag je niet zeggen. Je bent van haar! Zeg niet dat je van me houdt. Dat maakt het zo ontzettend moeilijk!*

Hand in hand liepen ze een stukje door de branding, voelden ze het frisse water en de warmte van de zon op hun gezicht. Fenna was zelden zo gelukkig geweest! Ze keek naar hem, met stralende ogen, maar voelde zich tegelijkertijd ongelooflijk verdrietig.

"Wat is er?"

*Je zag meteen dat er iets was. Kees zag zoiets nooit! Maar jij, jij leest al mijn gedachten op mijn gezicht. Je kijkt en ziet en voelt. Waarom ben je toch getrouwd?*

"Het is hier zo mooi," zei ze fluisterend, "zo schitterend mooi en om dan hier te lopen, samen met jou, hand in hand. Ik ben zelden zo gelukkig geweest, Thom."

Hij kuste haar op haar wang en trok haar tegen zich aan. "Ik ook niet, Fenna. Niemand heeft me ooit zo gelukkig gemaakt als jij!"

Marijke ook niet, Thom, dat kan toch niet waar zijn? dacht ze, maar ze zweeg. Stelde de vraag niet, maakte zich van hem los en liep de zee nog verder in. Haar rok was tot op haar knieën en in een overmoedige bui tilde ze hem hoog op. Ze wist best dat zoiets niet hoorde, helemaal niet als je 51 was, maar op dat moment kon haar dat niets schelen. Ze wilde het water van de zee nog meer voelen, het gevoel krijgen dat ze een was met de zee, een was met het oneindige, het weidse, misschien een vogel, zoals die meeuw die daarginds laag over het water scheerde. "De scholeksters hebben jongen," zei ze plompverloren. "Ik ben gisteren een eindje wezen fietsen en ergens bij een weiland zag ik ze opeens." Ze draaide zich naar hem toe en zag dat hij haar niet verstaan had door de wind in zijn oren en het ruisen van de zee. Ze liep terug en drukte een kus op zijn neus.

"Zullen we daar even wat gaan drinken?" Hij wees in de richting van een strandpaviljoen.

Haar ogen kregen nog meer glans. "Zouden ze er ijs verkopen?"

"Natuurlijk. Met dit weer en aan de zee. Heb je daar zin in?"

Ze knikte.

"Dan bestel ik een grote sorbet voor je."

"Een sorbet? Thom, dat is…" Maar ze hield zich in. Ze zei niets. Als hij haar wilde verwennen, dan mocht hij dat doen. Ze lachte en liep met hem mee, de schoenen in haar hand.

"Het lijkt wel vakantie," zei ze opgetogen. De sorbet voor haar op tafel, de zon in haar gezicht. Ze sloot even haar ogen om van dit alles te genieten.

"Ben je wel eens op vakantie geweest?"

"Nee!" Ze lachte en keek hem aan. "Maar dit maakt alles goed."

"Ben je nog nooit op vakantie geweest?"

"Lieverd, dat kon toch niet. Waar moesten we dat van betalen?"

"Maar nu zou je het toch wel kunnen betalen?"

"Ja, nu. Nu de kinderen het huis uit zijn en ik zelfs bijverdien."

"Dan moet je dat doen!"

"In mijn eentje?" Ze keek hem verbaasd aan.

"Waarom niet? Er zijn genoeg mensen die in hun eentje op vakantie gaan."

*Daar ging het mis, Thom. Daar ging het gewoonweg mis. Ondanks de warme zonnestralen kreeg ik het ijskoud. Ik zag het kippenvel op mijn blote armen. Waarom moest ik in mijn eentje op vakantie terwijl ik jou had? Mijn mond voelde droog aan, kurkdroog, toch vroeg ik het…*

"Ga jij met Marijke op vakantie?"

Thoms gezicht betrok. "Dat doen we bijna elk jaar."

"Wat doen jullie dan?" *Ik wilde het antwoord niet horen, maar ik moest het weten!*

"Meestal rijden we een eind met de auto en dan nemen we een hotelletje. Dit jaar gaan we voor het eerst vliegen. Zelf heb ik al vaker gevlogen voor mijn werk, maar voor Marijke is het de eerste keer. Naar Spanje, dat is niet ver en ze denkt dat ze dat wel aankan."

"En dan? Zitten jullie dan ook samen in een strandpaviljoen?"
Ze zag hoe de warme blik in zijn ogen veranderde in verdriet,
pijn. "Ja," zei hij zacht, "maar kunnen we het niet over iets
anders hebben?"
"Je hoort bij haar," zei ze zacht.
"Ja, dat klopt." Onverwachts reageerde hij fel. "Ik hoor bij haar.
Ik ben met haar getrouwd. Zij is mijn vrouw. Maar, lieve Fenna,
zo leven we niet. Al jaren niet meer. Het enige wat ze kan, is
klagen over zichzelf, zeuren, mij lastig vallen met problemen
die niet bestaan. Ze voelt zich alleen, maar ze doet er niets
aan om dat te veranderen. Ze zou zelf toch ook iets kunnen
ondernemen. Zoals jij doet. Vrijwilligerswerk, een baantje zoeken,
ergens bij gaan. Zij doet niets en daar word ik zo moedeloos van.
Ze is niet de vrouw die ik hoopte dat ze zou zijn."
"Maar ze is ziek en daar kan ze toch niets aan doen?"
"Ze is psychisch ziek, ja, niet lichamelijk, maar ook daar wil ze
niets aan doen. Ging ze maar eens een keer met iemand praten,
één keer, dan zou ik al heel blij zijn, maar dat doet ze niet,
Fenna. Ze houdt ervan om te klagen, om zich ellendig te voelen
en ik kan er niet meer mee omgaan. Bijna elke avond hebben
we woorden. Nooit ernstig, want ik houd me in, trek me terug
op mijn werkkamer, val niet meer in de kuil die ze voor me
graaft, maar het is nooit meer prettig thuis, nooit meer, Fenna."
"Waarom ga je dan niet bij haar weg?" *Ook daarop wilde ik het
antwoord niet horen, maar ik moest het weten, Thom. Ik zag dat ik je
verdriet deed, maar ik had je antwoorden nodig. Nodig voor mezelf!*
Hij zuchtte diep. "Omdat we getrouwd zijn, Fenna. Ik heb haar
beloofd tot haar dood bij haar te blijven in voor- en tegenspoed
en dat zal ik doen. Als ik bij haar wegga, dan wordt ze echt ziek.
Ze is niet in staat om alleen te leven. Ze heeft iemand nodig om
zich tegen te uiten, tegenaan te zeuren en zolang ze niemand
anders heeft, ben ik diegene. Ik weet niet wat er zou gebeuren
als ik bij haar wegga, maar ik weet wel dat ik die last nooit zou
kunnen dragen, want het wordt waarschijnlijk haar dood."
"Is ze gelukkig met jou?"

Thom lachte wrang. "Wie weet. Ze voelt zich er immers prettig bij om te klagen en te zeuren, dus misschien wel."

"Maar dat weet je niet?"

"Daar praten we al jaren niet meer over."

"Maar weet ze dat jij ongelukkig bent met haar?"

Hij haalde zijn schouders op.

"Waarom zeg je haar dat niet? Waarom vertel je niet dat je zo niet verder kunt?"

"Dat zou ik graag doen, maar dan denkt ze dat ik bij haar wegga en ik wil niet voor de gevolgen daarvan instaan."

"Maar waarom kom je niet voor jezelf op? Waarom eis je niet dat ze eens met iemand gaat praten."

"Dat heb ik al zo vaak gezegd, Fenna, maar het dringt niet tot haar door." Hij keek haar met een gepijnigde blik in de ogen aan. "Fenna, we hebben nooit meer echt contact. We begrijpen elkaar niet meer. Lichamelijk contact hebben we trouwens ook nooit meer. Ik voel me daar vaak ongelukkig onder, maar ik kan haar niet verlaten. Ik kan het niet. Ik voel het als mijn plicht er voor haar te zijn, voor haar te zorgen."

Fenna zweeg. Ze liet haar blik langs hem heen glijden, naar de zee, de wolkeloze lucht, de krijsende meeuwen.

"Ik heb het haar beloofd toen we trouwden, Fenna."

"Maar zij moet toch ook ongelukkig zijn!"

"Ik wil er niet meer over praten, Fenna. Ik ben nou bij jou. Bij jou voel ik me zo gelukkig als ik me zelfs vroeger nooit gevoeld heb."

"Maar nu sta ik er tussen. Nu kan het helemaal niet meer goed komen tussen jullie twee. Omdat ik er ben!"

"Fenna!" Hij legde zijn hand op de hare, maar ze trok hem terug. "Fenna!" Hij keek haar smekend aan. "Dat heeft niets met elkaar te maken! Helemaal niets! Wat ik voor jou voel, verandert niets aan wat ik voor Marijke voel. Dat staat er volkomen buiten! Fenna, ik hou van jou, bij jou kan ik mezelf zijn, blij zijn, vrolijk. Dat kan ik thuis nooit!"

*Zeg niet dat je van me houdt. Zeg het niet! Je mag het niet zeggen, want je hoort bij haar.*

Ze keek hem aan. "Ik respecteer je erom dat je je belofte wilt nakomen. Ik heb daar bewondering voor, maar je zult dus nooit helemaal van mij zijn. Nooit."

Hij lachte pijnlijk. "Ik ben meer van jou dan ik ooit van Marijke geweest ben, maar meer kan ik je niet geven en dat doet me echt verdriet. Ik kan het niet en dat spijt me oprecht, Fenna. Dat spijt me. Ik zou er dan ook alle begrip voor hebben als je me niet meer wilt zien, want je hebt gelijk, meer dan dit kan het niet worden."

*Waarom bleef de zon schijnen, terwijl mijn droom in stukken viel? Waarom bleef de zee ruisen? Ik heb echt respect voor je, Thom, maar wat moet er nou van mij terechtkomen? Van mijn liefde voor jou? Ik hou namelijk ook van jou, Thom. Ik hou van jou! Wat moet ik toch?*

*maar 's nachts*
*bescheen*
*om de zo veel seconden*
*het licht van de vuurtoren*
*onze lichamen*
*onze*
*ineengestrengelde*
*lichamen*

# Hoofdstuk 8

In de maanden die volgden, probeerde Fenna niet meer terug te denken aan dit gesprek. Ze had Thom nodig om een sterke, zelfstandige vrouw te worden. Hij moedigde haar voortdurend aan nog meer te ondernemen. De gesprekken met hem daagden haar uit meer van de wereld te weten te komen. Ze werd er zo veel vrolijker door en zo veel zelfbewuster. Zelfstandiger ook en minder afhankelijk van anderen. Dat gaf haar telkens een heerlijk gevoel.

Ze zagen elkaar weinig. Misschien eens in de vijf, zes weken, soms bij haar thuis en soms in een hotel, zodat het niet te erg op zou vallen. Wel belde hij haar vaak. Meestal 's morgens vroeg, vanaf zijn werk, met de deur van zijn kamer gesloten, zodat niemand kon horen welke lieve woorden hij tegen haar zei. En heel soms 's avonds, als Marijke al in bed lag. Ze genoot van die momenten. Ze gaven haar de kick en kracht om de dagen door te komen. Ze was vrolijker, opgewekter dan ooit. Ze besloot zelfs die winter een cursus te gaan volgen aan de volkshogeschool in Hoorn. Ze verbaasde zichzelf dat ze zich had opgegeven. Engels voor beginners. Vroeger op de huishoudschool had ze nooit talen geleerd, maar het leek haar toch leuk om eens iets in het Engels te kunnen zeggen.

"Wat moet je daarmee?" vroeg Laura verbaasd, toen ze het haar vertelde.

"Weet ik niet, maar ik heb behoefte om minder dom te zijn en mezelf nog een beetje te ontwikkelen."

"Nu nog?"

"Waarom niet? Zelfs als ik niet ouder dan vader word, heb ik nog negen jaar te gaan."

"Maar wat moet je ermee?"

"Hier komen ook toeristen. Zelfs bij ons in de winkel. Het lijkt me geweldig als ik ze in hun eigen taal begroeten kan."

Toch zag Laura er het nut niet van in en opnieuw zag ze Kees in haar dochter. "Jij werkt toch ook naast je huishouden?" vroeg ze iets feller dan ze bedoelde.

"Ja, zeg, ik heb nog geen kinderen. Wat moet ik dan de hele dag doen?"

"Precies en wat moet ik de hele dag doen? Ik heb ook geen kinderen in huis. Het lijkt me leuk mijn horizon te verbreden."

Laura zei er niets meer over en het deed Fenna verdriet dat haar dochter het maar raar vond, maar de eerste avond, halverwege september, wist ze meteen dat ze er goed aan gedaan had. Ze was niet eens de oudste leerling en kwam in aanraking met nieuwe mensen! Jongere mensen dan die ze bezocht als bezoekdame. Ze genoot vanaf het eerste moment en stortte zich bijna dagelijks vol enthousiasme op haar huiswerk.

Bij de opruiming in de winkel waar ze werkte, kocht ze in een opwelling een paar zwarte schoenen met hele hoge naaldhakken. Het was altijd haar droom geweest zulke schoenen te bezitten, maar vroeger hadden ze er het geld niet voor en daarna wist ze niet waarom ze het zou doen, maar nu kocht ze ze in de hoop dat Thom ze mooi zou vinden. Ze voelde opeens grote behoefte zich nog mooier voor hem te maken, hem te verleiden zelfs. Ze bloosde bij de gedachte en grinnikte. Ze voelde zich af en toe zo ontzettend verliefd dat ze wel dansen kon.

Ze had trouwens gelijk gehad. Thom vond ze schitterend. "Die moet je echt vaker dragen. Zie toch eens hoe mooi je ervan wordt. Je benen krijgen zo'n andere houding. Je hele lichaam gaat anders staan. Lieve help, wat staan die je goed." Ze zag aan zijn ogen dat hij elk woord meende, ze zag de zin die hij had in haar. Zijn ogen waren net boeken, waarin zij alles lezen kon. Ze waren spiegels van zijn ziel en ze zag wat hij voor haar voelde en wat hij dacht.

*En wat dacht ik? Dat Marijke het stomste mens in de wereld was, omdat ze zo'n geweldige man had en niet van hem genoot en opeens wist ik dat het me allemaal niets meer kon schelen dat je eigenlijk van Marijke was. Als zij niet van je wilde genieten, dan zou ik dat doen!*

Halverwege november reed Fenna eindelijk naar Vlaardingen om een dag en een nacht bij Marijke en Thom te zijn. Ze had niet meer geweten wat voor smoes ze nu nog bedenken kon om niet te komen en was uiteindelijk voor Marijkes smeekbedes gezwicht. Maar langer dan een nacht zou ze echt niet blijven. Ze wist zich met zichzelf geen raad.

Marijke begon meteen te klagen toen ze binnenkwam. Fenna kreeg niet de kans ook maar iets over haar Engelse les of over haar werk in de schoenenwinkel te vertellen. Na het eten stelde Thom voor om even naar de stad te gaan voor een kopje koffie of een drankje.

"Wat een idee!" riep Marijke uit. "Snap je dan niet dat ik moe ben? Ik heb de hele middag in de keuken gestaan om eten voor jullie te koken."

Fenna stond op. "Ik doe de afwas wel."

"Ha, dat is mooi gemakkelijk. We hebben een afwasmachine."

"Echt waar?" Fenna wist amper dat zulke machines bestonden.

"Gaan jullie maar," zei Marijke. "Ik ga naar bed."

En zo zaten ze inderdaad niet veel later samen in een restaurant. Thom pakte haar hand, maar Fenna trok hem terug. "Nee, niet hier. Stel dat iemand ons ziet."

"Maar ik verlang zo naar je. Ik wil je zo graag aanraken, voelen."

"Hou op," zei ze. "Ik kan het hier niet."

Het werd niet echt een succes en ze hoopte dat Marijke haar niet gauw weer zou vragen. Heel grappig was dat Ben opeens naar hen vroeg. "Ziet u Thom en Marijke nog wel eens?"

"Hoezo?"

"Ik hoor u nooit meer over hen. Vroeger had u toch nog wel contact met hen?"

"Nog steeds, hoor! Ik ben juist het afgelopen weekend naar hen toe geweest."

"Zelf?"

"Ja," zei Fenna trots. "Met vaders auto."

"Leuk, zeg. Hoe was het om weer in Vlaardingen te zijn?"

Fenna haalde haar schouders op. "Ik heb nooit van die stad

gehouden. Het was me er altijd te druk en dat is het er nog."

"Verder hebt u niemand overgehouden uit Vlaardingen, toch?"

"Het was te ver weg en bovendien wonen we nu al weer tien jaar in Enkhuizen, maar ik krijg nog altijd een kerstkaart van Piet en Ans, van Gerard en Ria en Jo en Anton."

"Toch nog?"

"Ja, hoor. Ze zijn me nog niet vergeten. Verlang jij trouwens terug naar Vlaardingen?"

Ben lachte. "Soms wel. Ik hield wel van die drukte, maar Maria is hier niet weg te branden. Zeg komt u bij ons eten eerste kerstdag?"

"Leuk, gezellig! Graag."

"Is het goed als we Laura en Roel ook vragen?"

"Natuurlijk! Gezellig juist!"

"Tweede kerstdag gaan we dan naar Maria's ouders.

Maar eerst was het nog Sinterklaas en Fenna keek verbaasd op toen de postbode aanbelde. "Een pakje!" zei hij opgewekt.

"Bedankt!" *Plotseling begon mijn hele lichaam te trillen en van de zenuwen kon ik het pakje eerst niet open krijgen. Het handschrift herkende ik meteen. Dat was hetzelfde als op de kaarten die ik al van jou gekregen had toen je op reis was naar Portugal en Frankrijk. Maar een pakje? Voor Sinterklaas? Ik probeerde te voelen wat het zijn kon, maar de doos was stevig en hard. Mijn wangen gloeiden en mijn hart sloeg snel. Eindelijk had ik de doos open en ik zag een envelop met mijn naam erop, door jou geschreven en in die envelop een kaart, een prachtige kaart met rode rozen en een gedicht. Je had een gedicht voor mij geschreven! Met de liefste woorden die ik ooit gelezen had. Ik geloof dat mijn hart vergat te slaan en met trillende vingers en ingehouden adem keek ik in de doos en vond ik een sjaal, die zo zacht was, zo teer dat hij van pure zijde leek en dat bleek hij ook te zijn. Ik hield hem tegen mijn wang en voelde de jouwe, ik voelde jouw lippen op mijn gezicht en in een opwelling ging ik naar boven, kleedde me uit en sloeg de grote, brede sjaal om mijn naakte schouders en borsten. Het was alsof jouw vederlichte kussen mijn lichaam kleedden. Ik viel op bed en huilde. Huilde van geluk, maar ook van wanhoop. Lief, ik zou zo graag iets terug doen, maar dat kan dus niet!*

Toch pakte ze de telefoon en toen de telefoniste opnam vroeg ze dapper naar Thom, maar ze kreeg te horen dat die in een vergadering zat en niet gestoord mocht worden. "Kan hij u terugbellen? Wat is uw nummer?" Hij heeft mijn nummer wel, wilde ze gillen, maar ze hield zich in tot ze de hoorn had opgelegd. Toen barste ze echt in huilen uit.

Monique voelde medelijden met oma Fenna. Eerst moest ze trouwen omdat ze met Kees naar bed was geweest in een tijd waarin ze bang was en bescherming zocht, maar Kees was helemaal niet de man op wie ze ooit verliefd kon worden en toen viel ze voor een man die al getrouwd was en zijn trouwbelofte niet wilde verbreken. Het had oma echt niet meegezeten!

Monique voelde dat ze er somber van werd. Ze besloot een paar uur vrij te nemen. Ze moest trouwens morgen naar de huisarts, al wist ze zeker wat hij zeggen zou, want ze had een tweede test gedaan en ook daaruit bleek dat ze in verwachting was. Ze was zo blij. Ze voelde zich zo gelukkig. Ze had de liefste man van de wereld, een schitterend huis, werk waar ze altijd van gedroomd had en nu ook nog een kindje in haar buik.

Ze pakte de fiets uit de schuur en ging een eindje rijden. Zonder dat ze zelf wist hoe ze er gekomen was, stond ze even later bij het graf van oma Fenna. Tot haar verbazing zag ze een paar mannen bezig. "Wat doen jullie?"

"We plaatsen de steen weer terug."

"Maar waarom weet ik dat niet?"

"We hebben haar zoon gebeld, maar die kon er niet bij zijn."

"Oom Ben?"

"Dat zou kunnen."

"Gaat dat altijd zo snel?"

"Wel als we alleen maar letters bij hoeven te zetten en er niemand problemen maakt over die letters."

Ze knikte begrijpend en keek naar de steen, die natuurlijk dezelfde was als die, die er al op gestaan had. Van opa, die in 1968 overleden was. Oma was 38 jaar weduwe geweest. 38 jaar alleen. Ze glimlachte. Voor de buitenwereld dan, maar in haar hart woonde haar lief.

Toen de mannen weg waren, ging ze op haar hurken bij het graf zitten en las ze de woorden. 'Geboren in 1918'. "Wat een leven, oma. 88 jaar geworden, maar bent u eigenlijk wel echt blij geweest? Ja, met de geboorte van uw kinderen. Die maakten u gelukkig, dat heeft u altijd gezegd en dat geloof ik ook. Hoe erg was het dan dat mijn moeder overleed! U hebt me opgevangen, terwijl uw verdriet haast groter moest zijn dan het mijne. Oma, weet u wat? Ik ben in verwachting! Ik ga een kindje krijgen. Uw achterkleinkind. Vindt u dat niet geweldig? Als het een jongetje wordt, noem ik hem Thom en een meisje noemen we naar u!" Ze liet haar vingers over oma's naam op de steen glijden en zuchtte. "Ik mis u. Nu heb ik echt geen moeder meer." Ze veegde de traan die langzaam over haar wang gleed weg en kwam overeind. Een paar paden verderop was het graf van haar moeder. Ze liep er naartoe. "Moeder, je wordt oma!" zei ze. "Ik ben in verwachting. Goed, hè? Ik weet dat je blij geweest zou zijn en ik hoop dat je dat nu ook bent, waar je ook bent, blij dat je oma wordt!"

De gedachte dat ze het nu aan haar moeder en grootmoeder verteld had van haar zwangerschap, vrolijkte haar weer wat op, ondanks dat ze het op de begraafplaats had moeten doen. Ze zag dat het bijna vier uur was en besloot naar haar vaders werk te fietsen.

Roel keek erg verbaasd toen hij zijn dochter bij de grote poort zag staan. "Er is toch niets ergs?" vroeg hij meteen.

"Natuurlijk niet! Ik moest even naar buiten en ben naar de begraafplaats geweest. Oma´s steen staat er al op."

"Nu al?"

"Ja, ze hadden oom Ben gebeld, maar die kon er niet bij zijn."

"Maar dan had ik toch kunnen gaan?" Roel schudde zijn hoofd. "Sinds Laura er niet meer is, hoor ik er niet echt meer bij. Ze hebben er moeite mee het contact met mij te onderhouden." Hij zuchtte. "Eigenlijk was het best leuk dat jij oom Ben nodig had. Ik had ze al lang niet meer gezien. Fiets je mee naar huis?"

"Een stukje. Ik bedacht net dat ik nog naar Peter moet. Ik heb hem helemaal nog niet verteld dat ik in verwachting ben."

"Gaat het goed met je?"

Ze stapten beiden op en begonnen aan de weg naar het ouderlijk huis. "Het gaat geweldig met me. Ik had het veel eerder moeten doen, een boek schrijven. Het is zoiets bijzonders om te doen. Ik leef helemaal mee. Het is wel verslavend." Ze lachte opgewekt. "Zeg, vader, gingen mensen in 1969 al met het vliegtuig op vakantie?"

"Bedoel je oma?"

"Nee, mensen in het algemeen."

"In 1969? Even denken. Wij zijn in 1965 getrouwd en Peter kwam in 1971. Ja, nu weet ik het opeens weer. In 1970 zijn we voor het eerst wezen vliegen. Naar Spanje. Ze hadden toen goedkope aanbiedingen en omdat we niet op huwelijksreis geweest waren, hebben we ons eerste lustrum in Spanje gevierd."

"Wat leuk!"

"Zeker weten. Zonnevlugjes, noemden ze dat. Even snel naar de zon. En het was ook snel! We waren wel eens met de auto in Zuid-Frankrijk geweest, maar daar deden we toch iets langer over." Hij grinnikte.

"En ik heb voor het eerst gevlogen in 1988. Ik was toen vijftien."

"Dat herinner ik me nog goed, maar weet je, het was veel te duur om met een gezin te gaan vliegen, dus schaften we een vouwwagen aan."

"Dat was toch ook geweldig! Dat weet ik nog wel. Dat waren altijd heerlijke vakanties!"

Roel glimlachte warm naar zijn dochter, maar wees toen naar rechts. "Als je echt naar Peter wilt, moet je hier afslaan."

"Oeps. Bijna vergeten. Dag, vader!" Ze sloeg af en trapte vrolijk verder. Het deed haar echt goed om even uit haar werkkamer te zijn en een frisse neus te halen. De somberheid die ze voelde door oma's verdriet was afgezakt. Natuurlijk was het triest dat oma overleden was, maar oma was 88 jaar geworden, een hele acceptabele leeftijd en al miste ze haar, ze kon zich er toch goed bij neerleggen. Een echt probleem was het overlijden van haar moeder, maar dat was nu tien jaar geleden en ze was er toch best aan gewend.

"Monique, wat kom jij doen?"

"Hoi Daphne, is Peter ook thuis?"

"Nee, maar hij kan elk moment komen. Kom je even binnen?"

"Graag."

"Wil je koffie?"

"Heb je niet iets fris? Vruchtensap of zo?"

Daphne liep naar de koelkast. "Ga zitten, joh. Je ziet er trouwens stralend uit. Rode wangen, glanzende ogen."

"Komt van de wind. Ik heb een eind gefietst."

Daphne keek haar onderzoekend aan. "Zeker weten?"

"Waarom niet?" Monique reageerde verbaasd.

"Volgens mij heb jij de ogen van een zwangere vrouw."

"Daphne! Hoe kan je dat nou weten?"

"Ik zie het aan je."

"Poeh, hé. Ik wou het pas zeggen als Peter er was."

"Wat wou je zeggen als ik er was?"

"Peter, hallo, je bent er. Daphne heeft het al geraden."

"Ze is in verwachting," riep Daphne lachend uit.

"Echt waar? Zus, wat leuk. Kom hier." Hij sloeg zijn armen om haar heen en kuste haar op haar wangen. "Gefeliciteerd, want ik weet hoe graag je het wilde. Allang?"

"Nee, amper een paar dagen. Ik moet morgen pas naar de huisarts."

"Maar het is wel zeker?"

"Echt wel." Monique glunderde.

"Dan moeten we toch iets anders inschenken," vond Peter. "Een glaasje wijn of zo?"

"Nee, joh, het is niet goed om alcohol te drinken als je in verwachting bent."

"O, sorry. Daar weet ik allemaal nog niets van."

Hij ging bij haar aan de keukentafel zitten. Daphne schonk een kop koffie voor hem in.

"Hoe gaat het met je boek?"

"Echt goed. Zeg, weet je trouwens dat die zwarte, hoge schoenen van oma uit 1969 zijn?"

"Dat meen je niet?" Peter schoot in de lach. "Daphne vond ze nog wel heel modern!"

"Dat zijn ze ook," verdedigde Daphne zichzelf.

"Oma Fenna heeft ze in dat najaar in de uitverkoop gekocht in de winkel waar ze zelf werkte."

"Werkte jouw oma in een schoenenzaak?"

"Ja."

"Dat kan ik me helemaal niet herinneren!" zei Peter. "Nee, dat geloof ik niet."

"Waarom niet?"

"Ik had altijd het gevoel dat oma veel meer kon, dat ze veel intelligenter was. Ze werkte toch op kantoor?"

"Dat heeft ze allemaal op latere leeftijd geleerd. Ze heeft ontzettend veel cursussen gevolgd op allerlei gebied. Ze voelde zich altijd maar een dom, eenvoudig meisje dat niets wist en niets geleerd had. Nadat opa Kees overleed, heeft ze daar zelf verandering in gebracht."

"Dapper, zeg," zei Daphne.

"Maar die schoenen heeft ze nooit gedragen, want die zagen er nog als nieuw uit!" vond Peter.

Monique opende haar mond om antwoord te geven, maar ze sloot hem weer. *Ik kon zien hoe je me begeerde toen ik op die hoge hakken door de kamer liep. Ik kon het zien en ik voelde het zelf.*

"Niet vaak, nee," zei ze toen, want deze woorden kon ze niet aan Peter zeggen. Hij zou er misschien om lachen dat een vrouw van over de vijftig nog behoefte had aan seks, vrijen wilde, en dat kon ze niet aan, want de liefde van oma was te puur en te kwetsbaar om om te lachen.

"Is er wat?"

"Over negen maanden ben ik moeder," zei ze slechts.

"En ik oom," juichte Peter. "Je gaat hem toch wel naar mij vernoemen, hè?"

"Noem eens een reden waarom?" Monique stond lachend op, gaf haar broer een kus op zijn wang, boog over de tafel heen naar Daphne voor hetzelfde ritueel en verliet vrolijk de keuken.

"Omdat ik zijn suikeroom word!" riep hij haar na.

Monique fietste blij en gelukkig naar huis. Ze had echt alles wat haar hartje begeerde. Zij wel!

# Hoofdstuk 9

1970 werd een goed jaar voor Fenna. Als ze terugdacht aan de dag waarop Kees begraven werd, herkende ze zichzelf niet. Het verschil was gewoon te groot. Van een hulpeloze vrouw die niets kon en niets wist, was ze veranderd in een zelfstandige dame die voor zichzelf op durfde komen en die elke dag wat nieuws leerde. De cursus Engels beviel haar zo goed, dat ze het plan had op gevat om in het najaar van 1970 naast de vervolgcursus ook een cursus blind typen te gaan volgen. Ze had geen idee waarvoor, maar het leek haar leuk om iets echt anders te doen. Ze maakte nieuwe kennissen, kreeg zelfs wat vrienden en had uiteindelijk elke dag iets leuks te doen. Twee keer per week bezocht ze oudere mensen in het bejaardentehuis. Ze werkte nog steeds 20 uur in de schoenenzaak en heel af en toe ontmoette ze Thom. Meestal ergens anders dan thuis en daar genoot Fenna met volle teugen van. Zo leerde ze Nederland steeds beter kennen en voor Thom leek het handiger te zijn om steeds ergens anders af te spreken. Meer dan een nacht samen werd het meestal niet en het afscheid was telkens opnieuw hartverscheurend, maar Fenna leerde ermee omgaan en alleen te genieten van de dingen die fijn waren.

Ze leerde ook haar geheim geheim te houden. Iedereen dacht dat ze een alleenstaande vrouw was en dat was toch eigenlijk ook zo? Maar dat ze naast haar eenzaamheid een minnaar had, met wie ze het af en toe ongelooflijk heerlijk had, dat kon ze alleen aan haar dagboek kwijt.

In 1971 kreeg Laura een zoon en werd Fenna grootmoeder van Peter. Dat was zo mooi. Fenna keek haar ogen uit naar de kleine baby die Laura haar in de armen gaf. "Lieve help, hoe is het mogelijk? Mijn dochter kreeg een kind." Ze was ontroerd en tranen van geluk gleden over haar wangen. "Als je wilt, dan pas ik graag eens op hem op," zei ze spontaan.

"Dat zou heerlijk zijn," zei Laura blij, "want u weet dat Roel en ik graag een avondje naar de film gaan en dat zou nu zonder oppas niet meer kunnen."

In de zomer van 1971 ging Fenna voor het eerst van haar leven echt op vakantie. Ze had er ijverig voor gespaard van het geld dat ze in de schoenenwinkel verdiende. Ze zou samen met vijf andere leerlingen van de cursus Engels een hele week naar Londen gaan. Met de boot van Hoek van Holland naar Harwich, daarna verder met de trein. Daar hadden ze een pension geboekt met een echt Engels ontbijt.

En toen ze inderdaad in Londen liep en naar de rode dubbeldekkers en de zwarte taxi's keek, toen ze de mannen in twee- of driedelig pak met bolhoed en paraplu zag lopen, moest ze zich echt even in de arm knijpen. Ze voelde zich trots als nooit tevoren. Ze kon met de mensen praten, al ging het nog traag, ze kon zich verstaanbaar maken. Ze kon boodschapjes doen en eten en drinken bestellen. Ze had de reis betaald van haar zelf verdiende geld. Nee, van de Fenna die met hangende schouders stond te huilen bij het graf van Kees was echt niets meer over.

"Pas op! Ze komen hier van de andere kant!" Een arm greep haar beet en trok haar terug de stoep op. Fenna keek geschrokken om.

"Liep je te dromen?" vroeg een medecursist.

"Ik geloof het wel," zei ze verward.

"Ze rijden hier toch aan de linkerkant. Dat is zelfs met oversteken gevaarlijk."

Fenna lachte en knikte. Ja, ze wist het weer. Ze had het immers geleerd op de cursus. Wat leuk om het nu zelf in het echt mee te maken.

Ze kocht kaarten voor haar kinderen en een paar vrienden, maar toen haar blik op een knalrood hart met de woorden 'I love you' viel, kon ze het niet laten die kaart ook te kopen. Ze zou hem nooit kunnen sturen, zelfs niet naar zijn werk, want stel dat de kaart uit de envelop gehaald werd in de postkamer. Maar ze kon hem wel geven of tenminste laten zien. "Thom, I love you."

fluisterde ze glimlachend, stralend en overgelukkig.

Toch begon er tijdens die reis iets aan haar te knagen. Iets dat ze al vaker gevoeld had, maar steeds weggeduwd. De vakantie was heerlijk en de mensen met wie ze was, waren stuk voor stuk aardig, maar ze waren Thom niet. Híj had hier moeten lopen. Hém had ze haar stralende gezicht willen laten zien. Hém had ze willen laten horen dat ze de kaarten kopen kon - mét postzegels! Met hém wilde ze in een dubbeldekker zitten of achterin zo'n grote, luxe taxi. Maar Thom was niet bij haar, die was bij Marijke. Ze kon hem niet bellen, omdat hij er meestal toch niet was en wat moest de telefoniste denken als zij hem vanuit Engeland op zijn werk belde? En ze kon hem geen kaart sturen. Ze kon helemaal niets. Ze was alleen met haar gedachten en herinneringen en hoop op een nieuwe ontmoeting, maar ze was alleen.

Ook tijdens haar verjaardag was ze alleen geweest, besefte ze, terwijl ze op de rand van de fontein op Trafalgar Square zat en naar de zuil van Nelson keek met de vier imposante leeuwen. Natuurlijk waren haar kinderen geweest. En haar ene kleinkind! Zelfs haar ouders hadden de lange reis vanuit Brabant ervoor over gehad en waren twee nachten gebleven. Ze had een prachtig cadeau over de post gekregen van Thom, een langspeelplaat van Maria de Lourdes met schitterende Mexicaanse muziek, die ze had moeten verstoppen tot haar ouders weg waren en toen pas kon beluisteren, maar ze was alleen. De hele dag was ze alleen. Degene naar wie haar hart schreeuwde was er niet.

Elke feestdag was ze alleen. Elk speciaal moment was ze alleen. En het begon steeds meer te knagen.

Ze miste hem, meer dan ze met woorden zeggen kon. En toen ze weer thuis was en haar kinderen belde om ze over haar vakantie te vertellen, voelde ze dat er een sluier van verdriet over haar blijdschap hing. Ze kon Thom niet bellen. Ze kon hem niet zeggen hoeveel ze genoten had en dat ze er weer was.

Ze kon hem nooit fijne kerstdagen wensen, nooit een gelukkig nieuwjaar, althans nooit op die momenten dat zij het wilde. Altijd moest ze wachten tot het hem uitkwam, tot hij belde en tijd had.

Zo ook nu. En waarom, waarom belde hij de volgende ochtend vroeg niet vanaf zijn werk?

*Hoewel ik elke dag de hele dag aan je denk, met je wakker word, met je in slaap val, ben je toch zo goed verstopt, dat het lijkt alsof je niet bestaat. Ik mag immers tegen niemand over je praten.*

*Je bent een droom, een onwezenlijkheid, een fantasie, die er niet is, alleen maar in mijn gedachten.*

*Toch ben je geen droom, geen fantasie. Jij bestaat!*

*Ik heb echt met jou gevrijd, geslapen. Jij bent echt, je bent een gezicht dat ik vast wil pakken, een lichaam dat ik wil liefkozen en waardoor ik geliefkoosd wil worden. Jij kunt bellen. Ik zou jouw stem kunnen horen.*

*Alleen... je belt niet.*

*Ik verlang zo naar je stem, een teken van leven. Ik wil zo graag weten waar je bent. Zit je op je werk of ben je op zakenreis? Lig je ziek in bed of ben je vergeten dat ik gisteren thuis zou komen?*

*Een echte fantasie is rustiger, dan kan er niemand bellen, is er geen echt gezicht.*

*Thom, je bent mijn fantasie, die echt bestaat. Hoe lang kan ik daarmee omgaan, leven?*

*Als ik met anderen praat, besta je niet, maar je bestaat wel en je bent belangrijk voor me geworden, erg belangrijk, misschien wel te. Want je zult, ondanks dat je bestaat, toch altijd alleen maar mijn fantasie blijven. Meer kan niet, ik weet het en accepteer het, maar het voelt vreselijk moeilijk.*

*Ik heb je zo lief.*

*Bel me alsjeblieft vandaag! Wees echt vandaag. Besta voor me vandaag. Wees waar vandaag!*

# Hoofdstuk 10

"Thom, als je dinsdagavond komt, is het de laatste keer dat we elkaar ontmoeten."

"Fenna! Nee, dat meen je niet! Dat kan je me niet aandoen!"

Ze bleef even stil en zuchtte onhoorbaar. Alleen het tikken van de klok verbrak de stilte. Het was half elf geweest. Marijke lag in bed en Thom maakte van die gelegenheid gebruik haar te bellen.

"Vorige week vroeg Gerrie van de schoenenwinkel of ik zin had om na koopavond nog ergens wat met haar te gaan drinken. Ik heb nee gezegd." Haar ene vuist had ze gebald. Ze durfde niet te zeggen wat ze bedacht had, maar ze was blij dat ze het toch deed.

"Wat bedoel je? Waar slaat dit op? Fenna, ik kan niet zonder je!"

"Ik heb nee gezegd, omdat ik naar huis wilde, omdat ik dacht, hoopte dat jij nog zou bellen en ik zou het vreselijk vinden als ik er dan niet was, dat ik je stem zou missen, omdat ik ergens met Gerrie zat."

"Maar ik belde niet?"

"Nee, je belde niet en ik had dus net zo goed met Gerrie uit kunnen gaan."

"Waarom deed je dat dan niet? Als ik je niet thuis tref, bel ik toch een andere keer wel weer!"

"Ik verlang elke dag naar je," zei ze zacht. "Je bent zo belangrijk voor me geworden dat ik niet meer zonder je kan. Ik weet heel goed dat je niet elke dag kunt bellen en dat is het ook niet, maar de gedachte dat ik je zou missen, dat ik er niet ben als jij belt, die is onverdraaglijk."

Hij zweeg, want hij wist niet wat hij zeggen moest.

"Thom, je hebt van mij een zelfstandige vrouw gemaakt. Alles wat ik tegenwoordig ben, heb ik aan jou te danken. Door jou ben ik autorijles gaan nemen, heb ik werk, vrijwilligerswerk, volg ik cursussen. Door jou ben ik op vakantie geweest. Ik ben een zelfbewuste en zelfverzekerde vrouw geworden. Het is grappig, maar ondanks mijn leeftijd voel ik me voor het eerst van mijn leven jong! En dat heb ik allemaal aan jou te danken. Ik zal je er ook eeuwig dankbaar voor blijven."

"Fenna…"

"Maar tegelijkertijd heb je me zo afhankelijk gemaakt. Afhankelijk van jou! Ik kan er niet meer mee omgaan, Thom. Sterker nog, ik ga eraan kapot. Het geluksgevoel dat ik eerst met jou had en dat ik nog heb als we samen zijn, wordt overschaduwd door een sluier van verdriet. Het maakt me somber, Thom. Zo somber… Als ik 's morgens wakker word, ben jij het eerste waar ik aan denk. Of nee, ik denk niet eens aan jou, je bent er gewoon, alsof je naast me ligt, naar me kijkt, echt aanwezig bent. Dan ga ik douchen. Tegenwoordig altijd met de deur open, want stel, stel dat je belt en ik de telefoon niet hoor! Als Laura of Ben 's avonds nog even langskomt, zit ik ze rond half elf gewoon de deur uit te kijken, omdat ik bang ben dat jij belt terwijl zij er nog zijn en we niet intiem met elkaar kunnen praten, maar afstandelijk moeten zijn. Ik word er zo onrustig van, Thom, somber en onrustig."

"Wat moet ik dan doen om dat te veranderen?"

"Daar kan jij niets aan doen, dat moet ik zelf doen. Ik moet me van je losmaken. Ik moet leren zonder jou te leven."

"Nee, Fenna, alsjeblieft niet!"

"Thom, ik kan nooit doen wat ik wil. Ik kan je niet bellen, geen post sturen, geen cadeautjes. Ik kan je nooit vertellen wat me overkomen is, hoe ik me voel, op die momenten dat ik het wil. Ik moet altijd wachten tot jij tijd hebt, tot jij belt of komt. Ik moet altijd mijn hand ophouden en afwachten." *De kruimels van de tafel zijn voor mij.* "Het lukt me niet meer. Ik ga eraan onderdoor. Ik moet me van je losmaken."

"Maar kan je dan niet gewoon alleen maar blij zijn met onze ontmoetingen?"

"Niet meer. In het begin wel, maar nu niet meer. Ik wil meer van jou. Ik hou van jou, Thom. Je bent alles voor mij. Het is alsof je in mij woont, alsof jouw hart in mijn lichaam klopt. Ik wil je helemaal en dat kan niet en dat weet ik. Dat accepteer ik ook, dat neem ik je niet kwalijk, want..."

"Marijke!" onderbrak hij haar ruw en het volgende dat ze hoorde was het geluid van zijn hoorn op zijn telefoon en het klonk als een knal in haar oren. *De kruimels van de tafel...*

Even vergat haar hart te slaan, haar vuist ontspande zich langzaam, traag legde ook zij de hoorn op de telefoon. Marijke was wakker geworden. Marijke...

*Ik voel me zo ontzettend hulpeloos en machteloos en vooral: alleen*
*Ik heb je wel, maar ik heb je niet.*

*Denk niet dat ik je iets verwijt. Ik heb nog steeds bewondering voor het feit dat je Marijke niet alleen wilt laten. En dat wist ik van tevoren. Ik had alleen van tevoren nooit gedacht dat ik zo ontzettend blij met jou zou zijn. Want ik wist gewoon niet dat het mogelijk was zo blij met iemand te zijn. Aan de ene kant is het heerlijk dat meegemaakt te hebben, aan de andere kant is het verschrikkelijk er steeds maar 'onderdanig' op te moeten wachten.*

*Nee verwijten doe ik je niets, want je bent al vaker bij me geweest dan ik ooit gedroomd had. Maar ook daar krijg je dan: aan de ene kant is dat heerlijk, aan de andere kant wil ik nog meer! Meer van jou.*

*En niet alleen op seksueel gebied. Hoewel het onvoorstelbaar is zoals jij kunt vrijen. Maar zoals ik me bij jou voel, zo kan ik me alleen maar voelen omdat ik van jou helemáál hou en niet alleen van jouw lichaam en jouw handen. Ook van wat er in je zit, je karakter, je hele ik....*

\*\*\*

Monique pinkte een traan weg en knipperde verwoed met haar ogen. Af en toe liet ze zich zo meeslepen met oma's verhaal, dat ze niet in staat was verder te schrijven. Alsof zíj oma's verdriet voelde, alsof háár hart huilde. Ze schudde haar hoofd om de somberheid eruit te schudden en keek naar het beeldscherm. "Oma," fluisterde ze. "Nu ben je nog maar 54 en je wordt uiteindelijk 88. Nog 34 jaar te gaan en drie dagen voor je dood schreef je hem nog! Wat een strijd. Wat een gevecht! En ik heb het nooit geweten! Ik dacht dat je gelukkig was. Zo zag je er ook uit. 33 ben ik zelf. Mijn hele leven heb je naar hem verlangd en hem niet gekregen. Oma Fenna, wat spijt me dat!"

Plotseling kon ze haar tranen echt niet meer inhouden. Ze liet zich snikkend gaan. Dat luchtte op. Monique kon weer voorzichtig lachen, maar toen ze zich realiseerde dat ze in verwachting was, lachte ze nog harder. "Oma, als iemand me nu zou zien, zouden ze denken dat mijn zwangerschap de ware reden is waarom ik zo emotioneel ben door die malle hormonen in mijn lijf, maar u en ik weten dat dat niet waar is! Op de een of andere manier voel ik uw verdriet en dat doet pijn!"

Ze stond moeizaam op. Ze had te lang ingespannen achter de computer gezeten. Haar spieren waren stijf geworden. Haar blik viel op oma's adressenboekje. Zachtjes zuchtte ze. Ze wist nu in elk geval welke mensen het niet waren, maar wie Thom dan wel was, wist ze nog steeds niet. En ze wilde hem ontmoeten, nu nog meer dan eerst. Bovendien was er haast bij. Hij was immers al 91. Zolang zou hij toch ook niet meer te leven hebben?!

# Hoofdstuk 11

Een klein jaar later, in 1973 werd Monique geboren. Fenna was zo blij met dit tweede kleinkind dat ze in een opwelling besloot Thom en Marijke te bellen. Dit wilde ze vertellen. Dit moest ze hem zeggen. Maar ze schrok toen ze zijn stem hoorde. Bijna een jaar had ze die stem niet meer gehoord. Het was een moeilijk jaar geweest. Ze had vaak met de telefoon in de hand gezeten om hem te bellen, maar ze had het nooit gedaan. En hij belde haar niet. Precies zoals ze gevraagd had. Precies wat ze wilde. Niet wilde!

Marijke had nog een keer of twee gebeld, maar Fenna had steeds gedaan alsof ze geen tijd had, omdat ze veel te veel moest doen. Smoesjes. Natuurlijk. Maar ze was te bang geweest dat ze zichzelf zou verraden, dat ze Marijke zou laten weten hoe graag ze wist hoe het met Thom ging.

*Waarom bel je me nooit? Ik weet dat ik je dat gevraagd heb, dat ik afstand moest nemen en leren leven zonder jou, maar ik verlang zo naar je, zo onmetelijk. Het doet pijn zonder jou te leven, maar het doet ook pijn als je er wel bent. Ik verlang naar je stem. Elke dag hoop ik dat je belt en elke dag ben ik opgelucht dat je het niet gedaan hebt.*

"Thom," zei ze hees.

"Fenna!" Hij herkende haar stem meteen al klonk die raar. "Wat geweldig leuk jou weer eens te horen. Hoe is het toch met je?"

"Is dat Fenna?" hoorde ze Marijke op de achtergrond vragen en Fenna had spijt dat ze gebeld had. Marijke, verdwijn! Bemoei je er niet mee, dacht ze in stilte.

"Ik ben weer oma geworden en dat wilde ik je zo graag vertellen."

"Weer oma. Nu van Ben?"

"Nee, die is nog niet zo ver. Laura kreeg een tweede kindje. Een meisje nu. Ze noemen haar Monique."

"Mooie naam en is alles goed met Laura en Monique?"

Typisch Thom. Hij was nog niets veranderd. Altijd geïnteresseerd, belangstellend, meelevend. *Ik voelde mijn huid gloeien. Het kwam zo onverwachts dat ik ervan schrok, maar tegelijkertijd was het een heerlijk gevoel en herinneringen aan vroeger, jij en ik samen, vlogen door mijn hoofd en lichaam.* En ze viel in de kuil die ze voor zichzelf aan het graven was. "Ja, alles is goed. Ze is vanochtend geboren en ik heb haar vanmiddag al in mijn armen gehad. Het is zo'n schatje! Ik geloof dat ze een beetje op mij lijkt." Ze klonk enthousiast, blij.

"Dat moet dan wel," zei Thom lachend.

Ze begreep wat hij bedoelde en kleurde. Die opmerking had ze niet willen uitlokken. "Ik ben geslaagd voor mijn typediploma en ik heb ook steno gedaan. Leuk, joh, zo'n apart snelschrift om vlug dingen op te kunnen schrijven. Ik ben naar het arbeidsbureau geweest om te vragen of ze misschien werk voor me hadden. Ik geniet nog wel steeds van de schoenenwinkel, maar ik geloof dat ik eraan toe ben om zittend werk te gaan doen."

"Hoezo? Op jouw leeftijd?" Hij lachte opgewekt.

"Nee, misschien niet. Ik voel me nog goed. Ik ben zelfs op gymnastiek gegaan! Misschien zeg ik het fout, misschien wil ik wel werk gaan doen waar ik mijn hersens meer bij nodig heb. Ik raak een beetje uitgekeken op al die vrouwen die honderden schoenen willen passen en overal over zeuren en klagen. Het is, denk ik, toch niet echt mijn soort werk."

"Sjonge, Fenna, wat een plannen heb je!"

*Je klonk zo heerlijk, zo vertrouwd. Het was niet voor te stellen dat het negen maanden en twee weken geleden was dat ik je voor het laatst gesproken had. Het was alsof je je armen om me heen sloeg tijdens het gesprek, alsof je heel dicht tegen me aanzat, mijn arm streelde, mijn blik probeerde te vangen.*

"En Engels? Ben je daar nog mee bezig?"

"Ja, nog steeds en het is ook nog steeds moeilijk, omdat we natuurlijk steeds verder gaan."

"En verder? Hoe gaat het verder met je?"

Ze aarzelde even. Ze wist best wat hij bedoelde, maar dat kon ze nu niet zeggen. Dat kon ze nooit meer zeggen. "Goed, gewoon goed," zei ze zo opgewekt mogelijk. "Ik kom tijd te kort." Ze lachte. "Soms begrijp ik het zelf niet, maar ik verveel me geen seconde, ben altijd bezig en altijd met leuke dingen."

"Je klinkt geweldig," zei Thom, maar ze kende zijn stem goed genoeg om te weten, dat hij wist dat ze hem niet alles zei. "En met jou, Thom. Hoe is het met jullie?"

"Ook goed." Zijn stem klonk opeens afgemeten, vermoeid. "We gaan in de herfst op vakantie naar de Canarische Eilanden."

"Leuk voor jullie." Haar stem klonk hees, haar keel was kurkdroog. "Ik ga weer naar Engeland met mijn medecursisten."

"Londen?"

"Nee, we gaan nu naar een ander deel. Het platteland bekijken. Twee weken zelfs."

"Sjonge, je neemt het ervan!" Hij lachte weer.

"Hoe is het met Marijke?" *Waarom vroeg ik dat? Dat wilde ik toch helemaal niet weten? Was het om de afstand tussen Thom en mij weer groter te maken? Om hem en mezelf erop te wijzen dat wij niets hadden, niets samen wilden?*

"Hetzelfde," zei hij slechts.

"Op het arbeidsbureau denken ze dat ik wel kans maak op een baan. Er is werk genoeg, zeiden ze. Ze weten alleen niet of ik werk kan krijgen voor halve dagen en meer wil ik niet. Dan hou ik geen tijd meer over voor de andere dingen." Ze lachte en hoorde zelf de sensuele ondertoon erin. *Nee, Fenna, hou op. Hou je in. Dit is een doodgewoon gesprek tussen oude vrienden. Verder niets!"*

De klank was hem ook niet ontgaan. Hij zweeg even. Ze hoorde zijn ademhaling sneller gaan.

"Wanneer kunnen we elkaar weer eens ontmoeten?" Haar hart hield op met slaan. Haar keel werd dichtgeknepen. Had zij dat zelf gezegd? Had zij die vraag gesteld? Nee, nee, niet opnieuw beginnen. Het ging zo goed de laatste tijd. *Maar ik wil je, ik verlang naar je, ik kan niet zonder je. Thom, hou me vast, streel me en maak me gelukkig. Laat me in je ogen kijken en zien hoeveel je om me geeft.*

"Tja, eh…" Hij schraapte zijn keel.

"Sorry, sorry, Thom, ik heb dat niet gezegd."

"Niet?" Hij klonk kil, maar hij kon immers niet anders. Marijke zat bij hem op hoorafstand. Misschien kon ze zijn gezicht wel zien en zou ze zich nu afvragen wat Fenna net gezegd had. "Het spijt me, het schoot er zomaar uit. Laten we het over iets anders hebben. Ben jij al opa?"

Hij lachte, maar het klonk niet opgewekt. "Nee, maar dat is niet lang meer zo. Over een maand of vier worden we grootouders en daar verheugen we ons op."

De prettige sfeer was weg, maar daar kon Thom niets aan doen. "Leuk zeg en gaat dat goed?"

"Tot nu toe wel. De vroedvrouw schijnt heel tevreden te zijn."

"Daar ben ik blij om. Zeg, het was leuk je stem weer eens te horen. Bedankt dat je even naar me luisterde. Doe je Marijke de groeten van me?"

"Jij ook bedankt en bel nog eens," zei hij met een klank in de stem, die ze begreep, maar niet wilde horen.

De volgende ochtend ging al vroeg de telefoon. Ze had het kunnen verwachten.

"Wat was dat nou? Waarom vroeg je of we elkaar kunnen ontmoeten en dan zeg je dat je niet wilt? Ik denk altijd aan je. Je bent altijd bij me! Waar ik ook ben en wat ik ook doe. Altijd denk ik aan je en dan eindelijk, na negen maanden, hoor ik je stem en zeg je zoiets en trek je je meteen weer terug?"

"Ik belde niet voor een ontmoeting, Thom. Ik belde gewoon om weer eens van me te laten horen en om van jou te horen. We zijn toch nog steeds bevriend? Dan wil ik ook wel dat we een beetje met elkaar meeleven, maar je stem klonk zo vertrouwd, zo vanzelfsprekend, dat het eruit schoot voor ik er erg in had."

"Maar je wilt niet."

"Jawel! Natuurlijk wil ik!" Ze schreeuwde de woorden in zijn oor.

"Maar we doen het niet?"

Ze was lang stil. "Nog één keer dan? Nog één laatste keer?" Ze vroeg het aarzelend en bijna onverstaanbaar, maar Thom had niet veel nodig om haar te begrijpen.

"Graag," zei hij schor terug. "Lief, heel graag."

*Ik voelde de sidderingen door mijn lichaam gaan. De gedachte dat ik je binnenkort zou zien was zo overheersend, dat mijn hele lichaam verlamde en ophield met functioneren. De afgelopen negen maanden bestonden niet meer, het enige wat er nog was, was mijn onblusbare verlangen naar jou. En toen je er was, al drie dagen later, vielen mijn puzzelstukjes op hun plaats! De chaos in mijn hoofd en leven werd een intens geluk.*

*je maakt me zo bijzonder*
*zo mooi*

*veel mooier dan ik ben*
*in alles*
*niet alleen mijn lichaam*
*ook mijn gedachten*

*jij maakt mij*
*tot vrouw*

# Hoofdstuk 12

*de bloemen die je bij je had*
*beginnen langzaam aan*
*één voor één*
*af te vallen*
*en*
*te sterven*
*als teken van hun eindigheid*

*maar tussen al die schoonheid*
*zit één knop*
*die telkens dikker wordt*
*en nog weken*
*nodig heeft*
*om open te gaan*
*als teken dat jouw liefde*
*voor mij*
*niet*
*eindig is!*

De warmbloedige, diepe, soms opgewekte, soms opzwepende
stem van Maria de Lourdes vulde Fenna's huiskamer. Het was
de langspeelplaat die ze van Thom gekregen had en die ze de
afgelopen jaren al bijna versleten gedraaid had, maar nu moest ze
er opnieuw naar luisteren en vond ze het jammer dat ze Engels
geleerd had en geen Spaans. Ze verstond er geen woord van,
maar ze voelde de gevoelens die de zangeres vertolkte tot in het
diepst van haar ziel. De vreugde en het verdriet, de melancholie
en de hartstocht. Thom... Ze zou hem nu vast en zeker niet
meer zien. De nacht was onvoorstelbaar geweldig geweest, maar
voor Fenna echt de laatste keer. Al wist ze dat ze Thom nooit

vergeten zou en elke dag naar hem zou blijven verlangen. Ze hield zo veel van hem. Zo ontzettend veel. Hij was haar alles, zonder zijn liefde was ze niets en al zou ze die liefde niet meer ervaren, ze zou altijd weten dat die er was.

Ze had er geen spijt van dat ze hem had laten komen. Het had haar verlangen wel weer opgelaaid, maar toch was ze er rustiger door geworden. Dit tweede afscheid had haar beter gedaan dan het eerste en ze had het gevoel dat ze er nu beter mee om kon gaan. Hardop had ze het nog niet tegen hem gezegd, dat dit niet het begin was van een nieuwe geheime periode maar de definitieve afsluiting van de eerste en enige. Ze zocht nog naar de juiste woorden om het voor hem te verklaren, maar zelf had ze die beslissing wel genomen.

Hoorde ze de telefoon? Ze haastte zich naar de grammofoon om het geluid wat zachter te zetten en hoorde toen inderdaad het telefoongerinkel. Snel nam ze op en tot haar grote verrassing kreeg ze te horen dat ze mocht solliciteren als typiste bij een groot kantoor. Nog diezelfde dag! Blij, maar bibberend van de zenuwen liep ze de trap op naar haar slaapkamer. Wat zou ze aantrekken? Het moest wel netjes zijn, want ze wilde het baantje heel graag hebben. Ze had echt genoeg van de schoenenwinkel en ze wilde niets liever dan het geleerde in de praktijk toepassen. Haar blik viel op een jurk die ze voor Thom gekocht had en waar ze de schoenen met naaldhakken onder aan gehad had. Ze glimlachte. Ze zou de jurk aantrekken, maar de schoenen liet ze thuis! Die waren alleen voor Thom.

Terwijl ze zich kleedde voelde ze zijn ogen goedkeurend over haar heen glijden en ze stapte die middag dan ook als een zelfbewuste vrouw het kantoorgebouw binnen.

De personeelschef was verrast Fenna te zien. Hij kuchte voorzichtig. "Ik had eigenlijk een jongere vrouw verwacht. Ik heb de papieren van het arbeidsbureau nog niet eens bekeken. Sorry!"

Fenna keek hem aan. "Waarom? Denkt u dat ik niet kan wat zij kan?"

Hij schoot in de lach. "Natuurlijk wel. Ik denk zelfs dat u veel meer kunt dan we eigenlijk zoeken."

Ze bloosde door het compliment. "Ik ben nog niet zo lang op de arbeidsmarkt," zei ze. "Ik heb jaren thuis gezeten als moeder en huisvrouw. Dus eigenlijk ben ik nog piepjong."

Hij begon ijverig in zijn papieren te bladeren, keek haar toen verrast aan. "Zo ziet u er ook wel uit," zei hij spontaan. "Ik bedoel, voor uw leeftijd dan, want hier staat dat u 55 bent."

"Dat klopt, dat ben ik."

Hij zweeg een poosje en keek naar de gegevens die hij over haar had. "Wilt u echt alleen maar halve dagen werken?"

"Ja. Het klinkt misschien raar, maar financieel heb ik genoeg aan halve dagen en ik hou graag tijd over voor alle andere dingen die ik wil doen."

"Zoals?"

"Oude mensen bezoeken, omdat ze zo eenzaam zijn, mijn kleinkinderen af en toe knuffelen, maar vooral mijn huiswerk maken voor de cursussen die ik volg."

"Welke?"

"Engels voor gevorderden en ik ga beginnen aan een secretaresseopleiding."

"Op uw leeftijd?"

"Waarom niet? Het wordt tijd dat ik mijn hersens eens ga gebruiken," zei ze lachend. "Die heb je als moeder ook wel nodig, maar op een andere manier."

"U hoort nog van me." De man stond op en voor Fenna er erg in had, stond ze alweer op straat. Ze was volkomen beduusd en begreep er niets van. Had ze iets verkeerd gezegd? Wat was er gebeurd? Het gesprek leek zo goed te gaan. Was ze niet geschikt voor het werk dat hij aanbood? Even zag ze Kees' gezicht voor zich met die vernederende blik in zijn ogen en even was ze al haar zelfbewustheid kwijt.

Langzaam fietste ze naar huis en terwijl ze de sleutel in de achterdeur stak, hoorde ze binnen de telefoon overgaan. Ze had geen zin om zich te haasten, want wat moest ze Laura vertellen?

Of haar ouders? Waarom had ze zo blij en uitgelaten verteld van het telefoontje van het arbeidsbureau?

"Fenna," zei ze terneergeslagen.

"Ach, u bent er toch al. Ik heb even met de directeur overlegd." De man van het sollicitatiegesprek van net! De man van personeelszaken!

"O?" Fenna wist niet wat ze ervan denken moest.

"Sorry dat ik u zomaar de deur uitgooide. Ik wist opeens niet goed wat ik moest doen. Ik zag namelijk wel goede perspectieven in u en wilde u graag aannemen, maar niet voor de vacature waar u voor kwam en daarom moest ik even overleggen. Voelt u ervoor om onze huidige directiesecretaresse te komen vervangen zolang ze met zwangerschapsverlof is? Daarna zien we dan wel weer verder. Zij werkt hele dagen en omdat u dat niet wilt, zullen we haar werk opsplitsen, maar ik wil u heel graag hebben. U lijkt me een lekker ouderwets type dat van aanpakken houdt en zo iemand kunnen we goed gebruiken."

Fenna wist niet wat ze hoorde. Ze begon te gloeien van blijdschap!

"Wanneer kunt u beginnen?"

"Ik moet nog ontslag nemen, maar ik werk nooit op dinsdag en morgen is het dinsdag, dus dan zou ik al kunnen komen. Op woensdag werk ik hele dagen en dan kan ik dus voorlopig nog niet."

"Morgen al? Geweldig. Half negen?"

"Ik zal er zijn," zei ze verbaasd.

Lieve help, ze was aangenomen voor iets hogers dan waar ze voor kwam! "Thom, ik ben aangenomen," riep ze de kamer in, maar ze schudde haar hoofd. Nee, niet Thom erbij halen. Thom moest weg uit haar leven, maar hoe deed ze dat? Bij alles wat ze dacht, zei of deed, dacht ze aan hem. Als ze opstond, als ze in slaap viel, altijd waren haar gedachten bij hem. Het was alsof ze een waren, ze bestond niet zonder hem.

Het werk beviel Fenna fantastisch. Het was moeilijk, omdat ze allerlei dingen moest doen, die ze nog nooit eerder gedaan had en vaak werkte ze over, omdat ze vond dat ze nog niet genoeg gepresteerd had, maar ze leerde snel en had ook veel baat bij de secretaresseopleiding die ze daarnaast volgde. Veel tijd voor andere dingen had ze echter niet en eigenlijk was dat best welkom.

Op een dag ontdekte ze dat ze al dagen niet meer bewust aan Thom gedacht had. Ze was zo met haar eigen leven bezig, dat hij er even niet bij was geweest. Althans niet bewust. Onbewust was hij er altijd, dat wist ze maar al te goed, maar het deed haar goed dat ze hem een paar dagen vergeten was. Langzaam begon ze het te leren zonder hem door het leven te gaan.

Ze belden elkaar zo eens in de drie maanden. Soms belde Marijke, soms Thom, soms zij en de gesprekken duurden nooit lang en gingen nooit diep. Ze wist heel goed dat het niet was wat Thom wilde en trouwens ook niet wat ze zelf wilde, maar wou ze haar hoofd boven water houden, dan moest het op deze manier.

Ze hadden het nooit naar elkaar uitgesproken dat die ene keer misschien de laatste was, want Fenna durfde hem niet te bezeren en hij durfde het duidelijk niet te vragen. In hun stemmen klonk voortdurend het onderdrukt verlangen naar elkaar door, maar ze deden er beiden niets mee.

In het voorjaar van 1975 belde Marijke op en ze klonk enthousiaster dan ooit. "Ik heb iets leuks bedacht!" riep ze uit. "We gaan met zijn drieën op vakantie."

"Wie?" vroeg Fenna verbaasd.

"Jij, Thom en ik!"

Fenna's mond viel open, maar er kwam geen geluid uit. Samen op vakantie? Thom dagenlang de hele dag zien! Maar altijd met Marijke in de buurt, zelfs al zou die zich terugtrekken omdat ze weer eens hoofdpijn had.

"Nou? Je klinkt helemaal niet enthousiast! We willen naar Amerika gaan. Daar spreken ze Engels, dus dat moet jou wel trekken! Zeg, ben je er nog?"

"Ja, ja, natuurlijk! Wat ontzettend lief dat jullie aan mij denken, maar dat kan niet, hoor."

"Als het je te duur is, geeft niets, wij betalen!"

Fenna kreeg er een kleur van. Waar had ze zo'n aanbod aan te danken? Wat moest dat wel niet kosten? "Toch kan het niet. Ik ga weer met de mensen van Engelse les op reis."

"Maar je hoeft toch niet elk jaar hetzelfde te doen." Marijke was hoorbaar teleurgesteld dat Fenna niet even enthousiast was.

"Dat doen we ook niet. Dit jaar gaan we naar Schotland."

"Doe dan allebei! Je hebt tijd zat."

"Dat heb ik niet. Ik werk, Marijke!"

"Poeh, onzin, dat heb je helemaal niet nodig. Je hebt toch je weduwepensioen?"

"Klopt, maar ik heb die baan aangenomen en dus moet ik wel werken."

"Vraag dan vrij!"

"Nee, Marijke, dat kan niet."

"Maar Thom wil niet alleen met mij op vakantie. Hij zei dat hij dat niet gezellig meer vond."

Fenna zweeg, want wat moest ze daarop zeggen. Was het trouwens Thom die op dit idee gekomen was? Dat kon toch niet waar zijn? Of wilde hij haar zo graag zien, dat hij dit ervoor over had. Hij dacht toch niet echt dat dat leuk zou worden? Fenna zou zich geen seconde op haar gemak voelen.

"Ik dacht aan jou. We mogen jou allebei graag, ik heb je al in geen eeuwen meer gezien, dus doe niet flauw en zeg dat je mee gaat." Gelukkig, het idee kwam van haar. "Het spijt me, Marijke, maar ik doe het niet."

"Verdikkie, wat moet ik dan? Ik wil op vakantie."

"Ga met een gezelschap mee. Er zijn genoeg reisgezelschappen."

"En zeker de hele dag in de bus zitten met allemaal mensen die zeuren en klagen."

Fenna hield wijselijk haar mond, maar ook haar poot stijf. "Waarom wil Thom trouwens niet alleen met jou op vakantie?" waagde ze het te vragen. "Jullie gaan toch altijd met zijn tweeën?"

"Hij heeft er geen zin meer in. Hij zegt dat we elkaar niets te zeggen hebben en hij heeft geen zin om veertien dagen stommetje te spelen."

"Maar zorg er dan voor dat het wel gezellig is met jou!" riep Fenna uit.

"Ik ben toch altijd gezellig! Behalve als ik hoofdpijn heb."

"Doe er dan iets aan. Als Thom er zo over denkt, is er iets niet goed en doe daar dan wat aan, Marijke."

"Ja, jij hebt gemakkelijk praten. Jij bent gezond, Fenna."

"Ik ben wel weduwe en zo gemakkelijk is dat helemaal niet."

"Maar jij kunt werken en dingen ondernemen."

"Dat kan jij ook, Marijke." Ze hadden nog nooit zo openlijk met elkaar gepraat. "Dat kan je leren."

"Na al die jaren nog?"

"Als je wilt dat het goed blijft tussen Thom en jou..."

"Natuurlijk wil ik dat. Hij is mijn man, zeg. Ik hou van hem!"

Fenna's gezicht verschoot van kleur. Had Marijke dat echt gezegd? Het was de eerste keer dat ze zoiets zei. Ze zat altijd op hem te vitten omdat hij iets niet goed deed of niet voldoende rekening hield met haar gezondheid. Ze hield van hem?

"Wat ben je stil."

Fenna zuchtte en besloot eerlijk te zijn. "Je moppert altijd op hem."

"Nou en? Dat heeft hij verdiend!"

"Maar als je van hem houdt, dan mopper je toch niet zo vaak?"

Nu was Marijke even stil. "Misschien heb je wel gelijk. Misschien moet ik maar proberen om toch wat aardiger te zijn."

# Hoofdstuk 13

Drie dagen later stond Thom bij Fenna voor de deur. Hij kwam zo onverwachts, dat ze geen woord wist uit te brengen. Ze wilde de deur weer dichtdoen, maar hij duwde hem verder open en stapte naar binnen. "Fenna," zei hij smekend, maar ze bleef op afstand.

"Fenna, het was niet mijn idee om met jou op vakantie te gaan. Het leek me heerlijk, dat wel, maar ik begreep heus wel hoe moeilijk dat voor jou moest zijn." Hij deed een stap dichterbij, maar Fenna liep weg, de huiskamer in. "Wat kom je doen?" vroeg ze kil.

"Fenna, doe niet zo tegen mij!"

"Hoe moet ik dan doen? Wij hebben niets meer, er is niets meer tussen ons."

"Dat kan je niet menen. Daar geloof ik geen woord van."

"Jij hebt Marijke en zij houdt van jou."

"Dat hoorde ik haar zeggen, ja. Tegen jou! Tegen mij heeft ze dat al vijfentwintig jaar niet meer gezegd."

"Misschien ziet ze eindelijk in dat ze verkeerd bezig is en dan wil ik er echt niet tussen staan. Ga naar huis, Thom. Ga naar je vrouw."

"Niet nadat ik je even in mijn armen gehouden heb."

"Ga weg," zei ze met een boze blik in haar ogen. *Mijn hart scheurde in stukken en bloedde leeg.*

"Fenna! Ik hou van jou. Ik kan niet verder als ik niet heel af en toe even met je mag praten of je even mag zien."

"Je hebt me gezien nu. Ga naar huis." *Waar haalde ik die woorden vandaan? Hoe kreeg ik ze over mijn lippen? Ik zag je gezicht, je oneindig lieve gezicht en wilde het beetpakken, vasthouden, tegen me aandrukken. Met mijn vinger over je lippen glijden, je wangen, je neus, je oogleden, voelen hoe je altijd voelde, zacht en sterk tegelijk. Toch zei ik die woorden, maar ik meende ze niet.*

Hij keek haar zo verdrietig aan, dat het voelde als een dolk in haar lichaam. "Het spijt me," zei ze een heel stuk milder, "maar jij hebt me geleerd voor mezelf op te komen en dat doe ik nu. Het is beter dat we alle contacten verbreken."

"Fenna! Nee, dat niet. Ik wil af en toe weten hoe het met je is. Ik moet weten hoe het je vergaat, of je gezond bent, gelukkig, wat je doet."

"Gelukkig?" Ze keek hem droevig aan. *Hoe kan ik ooit nog gelukkig zijn als ik jou niet krijgen kan. Je zult er altijd tussen staan. Je zult mijn geluk altijd in de weg staan. Nooit zal ik me meer zo kunnen voelen als bij jou. Met geen enkele andere man, op geen enkel ander tijdstip. Jij bent mijn hart.*

"Ik kan het niet meer aan om je te delen, omdat ik zo veel van je houd. Ik wil je kunnen bellen, schrijven, zonder de angst betrapt te worden. Ik wil openlijk met je door de stad lopen, naar een schouwburg gaan. Al die dingen kunnen niet. Het maakt me zo verdrietig, dat het echt beter is, als we elk contact verbreken, want elk contact laait telkens mijn verlangen naar jou weer op."

"Maar je was toch gelukkig met me?"

Ze glimlachte. "Het was niet genoeg. Ik wil alles of niets en dan dus maar niets. Dat is rustiger voor mij. Ik kan daar beter mee overweg, dan de gedachte dat je misschien nog eens belt, want dan word ik gespannen en ga ik zitten uitkijken en wachten op dat telefoongesprek."

Hij keek haar aan. "Ik begrijp je wel, lief. Ik begrijp je heel goed en ik weet ook dat je gelijk hebt, maar ik kan een leven alleen met Marijke niet aan."

Ze haalde haar schouders op, maar zei niets.

"Dat is dus mijn eigen schuld." Hij lachte wrang.

"Schuld? Natuurlijk is dat niet jouw schuld, maar je hebt jezelf beloofd haar niet alleen te laten en dus moet je met haar leren leven, hoe moeilijk dat ook is."

"Maar met jou erbij…" Hij maakte zijn zin niet af. "Ik weet dat ik het recht niet heb dat van je te verlangen. Het spijt me.

Natuurlijk heb je gelijk. Ik moet je met rust laten. Bedankt voor alles wat we gehad hebben."

Met hangende schouders liep hij weg. Ze keek hem na vanuit de voordeur. Zo had ze hem nog nooit gezien. De altijd opgewekte en optimistische man was verslagen, verdwenen, weg. *Het deed zo'n pijn je op die manier uit mijn leven te zien verdwijnen, maar ik had gelijk. Ik moest je uit mijn leven laten gaan. Ik moest je definitief wegsturen. Ik kon het leven anders zelf niet aan. Maar nu ging er ook iets mis, want ik wist niet dat een hart voelbaar pijn kon doen. Mijn verdriet is zo groot, dat ik lichamelijke pijn heb, een aanwijsbare zere plek onder mijn linker borst. Het verrast me en het beangstigt me. Zo veel houd ik van jou, dat ik lichamelijke pijn heb. Kan ik echt wel leven zonder jou?*

Fenna schrok van de vlekken die ze maakte doordat haar tranen op de letters in haar dagboek vielen. Voorzichtig depte ze de bladzijde droog met haar zakdoekje. Ze zuchtte een zucht die vanuit haar tenen kwam. Ze was zichzelf niet meer sinds ze hem de deur gewezen had. Haar leven had alle glans verloren. Ze had nergens meer plezier in en lachte nergens meer om.

Laura en Ben zagen het en vroegen wat er was, maar Fenna zei dat alles goed was. Ze kon het toch niet vertellen? Ze kon toch niet zeggen dat ze kapot was van verdriet?

In dat jaar, 1975, kwam er een single uit van Nazareth en toen Fenna die voor het eerst op de radio hoorde, barste ze in snikken uit. 'Love hurts' heette het lied en het was zó waar. De stem van de zanger leek ook te huilen, hij raakte haar diep. Ze kocht de plaat, al was ze er misschien te oud voor, maar ze had het gevoel dat het lied en de stem precies haar gevoelens vertolkten. Ze was blij dat ze Engels geleerd had en kon verstaan wat hij zong. Ze begreep dat niet alle woorden op haar sloegen, maar sommige waren meer dan waar. 'Liefde doet pijn, ooh, liefde doet pijn. Ik heb wat dingen van je geleerd, ja, ik heb echt veel geleerd, liefde is als een vlam en verbrandt je als hij heet is. Liefde doet pijn, ooh, liefde doet pijn.'

Fenna draaide de plaat vaak. Hij voelde als een soort van troost.

Toch kon ze Thom nooit vergeten.

*Jij staat slechts aan de kant van de weg die ik zal gaan, maar je stáát aan de kant en je bént er en stil zal ik mijn eigen weg plaveien met herinneringen aan jou en me opnieuw eindeloos gelukkig voelen wanneer 'voorbij' en 'verleden tijd' hun pijn zullen verliezen en herinneringen voor de toekomst worden, die mijn leven en mijn weg een gouden glans zullen geven.*

*Fenna probeer...*

"Waar ben jij toch mee bezig? Wat is er aan de hand?"

Monique vloog overeind, zo schrok ze van de stem van Bart die plotseling bij haar in de werkkamer stond. "Verdikkie! Wat doe je hier?" viel ze geïrriteerd uit. "De deur was dicht. Je mocht niet binnenkomen. Ik heb rust nodig. Ga weg!"

"Dat weet ik wel, maar ik heb vijf keer geklopt en je..."

"De deur was dicht!" riep ze boos.

"Klopt, maar als jij na vijf keer nog niet gereageerd hebt, wil ik weten wat er is. Ik was ongerust. Je bent zwanger en je reageerde niet. Ik dacht dat je hier misschien bewusteloos lag."

Ze keek hem met grote ogen aan.

"Waarom huil je?"

Ze was niet in staat zich op Bart te concentreren. Ze zat zo in het verhaal van oma, dat het haast leek alsof ze niet meer wist wie Bart was.

Hij kwam op haar af, sloeg een arm om haar heen, maar ze wilde die het liefst wegslaan. Oma... dacht ze. Oma Fenna.

"Wat is er nou, Monique?"

"Hou jij eigenlijk wel van mij?"

"Wat is dat nou voor een vraag?"

Ze keek hem met vochtige ogen aan. "Ik meen het. Hou je echt van mij?"

"Natuurlijk! Als je dat nu nog niet weet!"

"Maar niet zoals oma van hem hield!" riep ze uit. "Die liefde was zo puur, zo intens. Zo hou jij niet van mij."

"Natuurlijk wel!" riep hij uit. "Wat is er toch met je? Ik geloof dat ik me niet voor niets ongerust gemaakt heb."

120

"En ik niet van jou," zei ze verward. "Ik hou niet van jou zoals oma van hem hield. Bart, wat is er mis met ons?"

"Niets, Monique. Er is niets mis met ons. Jij leeft in een droom."

"Nee, het was geen droom. Oma hield echt van hem."

"Dat begrijp ik, maar ze kon hem niet krijgen en als je iets niet kunt krijgen, maar toch hebben wilt, dan wordt het in je dromen alleen maar groter en mooier, dan verlies je de werkelijkheid uit het oog."

"Zou je denken?"

Bart haalde zijn schouders op. "Ik weet het niet, maar ik weet wel dat ik ongelooflijk veel van je hou en ook van het kindje dat in jouw buik groeit. Monique, alsjeblieft, hou de realiteit voor ogen." Zijn blik viel op het beeldscherm. "Waarom schrijf je dingen cursief?"

"Dat zijn oma's woorden. Dat is een tekst uit haar dagboek."

"Schrijf je dat letterlijk over? Dat is gemakkelijk. Hoef je zelf niets te doen." Hij lachte.

"Ik zou het niet mooier kunnen schrijven, Bart. Oma kan zo ontroerend schrijven, dat de tranen me af en toe in de ogen schieten."

"Dat zie ik, maar helemaal eerlijk is het niet als jij dus zegt dat jij een boek schrijft."

"Hm, ik bedenk wel een pseudoniem, waar allebei onze namen in verwerkt zijn. Fennique bijvoorbeeld."

"Je bent maar een raar figuur," zei hij lachend, "en toch hou ik van je." Hij drukte haar tegen zich aan. "Heel erg veel, ontzettend veel, mijn hele hart is vol van jou! Ik moet er niet aan denken dat ik je ooit kwijt zou raken. Dan ga ik kapot!"

"Denk je?"

"Dat weet ik zeker, Monique. Ik hou echt zo veel van je dat ik niet zonder je kan."

Ze keek hem met betraande wangen aan. "Wat kwam je eigenlijk doen?" vroeg ze zacht.

"Ik heb die cd gevonden die jij hebben wilde."

"Welke cd?" Ze keek hem verward aan.

"Die ene, die oma zo mooi vond. Ik kon namelijk geen grammofoon vinden en daarom heb ik die cd maar gekocht." Hij stak hem haar toe.

"Love hurts van Nazareth," zei ze verrast. "Wat lief van je!"

"Ja, ik doe wel eens lief," zei hij glimlachend.

Ze haalde de cd uit het hoesje en liep op haar cd-speler af. Ze stak hem erin en deed hem aan. De warme, maar trieste stem klonk door haar werkkamer.

"Love hurts, love wounds, ooh, love hurts."

Monique liet haar tranen de vrije loop. "Sorry," snifte ze, "ik heb last van mijn zwangere hormonen."

Bart en Monique waren samen naar de boekhandel geweest om een boek te kopen over zwangerschappen en over hoe de baby groeide in haar buik. Natuurlijk konden ze alle gegevens ook op internet vinden, maar Monique hield er meer van een boek vast te houden en daarin te bladeren.

"Kijk toch eens," zei ze vertederd, terwijl ze naast hem op de bank zat met het boek op hun schoot. "Zo klein is het kindje nog en toch is het al een kindje!"

"Ons kindje," zei Bart blij.

"Oma Fenna's achterkleinkindje," zei Monique vertederd.

Bart schoot in de lach. "Het lijkt wel alsof je het leuker vindt dat oma Fenna een achterkleinkind krijgt dan dat jij een kindje krijgt."

Monique keek hem even verbaasd aan, maar glimlachte toen.

"Gek, hè. Ik mis oma op dit moment erger dan mijn moeder."

"Logisch toch. Hoe lang is oma nu dood? Drie weken of zo?"

"Vijf."

"En je moeder leeft al tien jaar niet meer."

"Bovendien ben ik dag en nacht met oma bezig."

"Droomde je van haar dan vannacht?"

"Droomde ik?"

"Je maakte rare geluiden." Bart schoot in de lach bij de herinnering. "Ik heb je maar een duw gegeven en toen was het meteen over, maar dat was oma dus. Ik was even bang dat je van een andere man droomde."

"Bart!" riep ze met een quasi wanhopig gezicht uit.

"Je kreunde en ik dacht…"

"Schaam je!" Maar Monique moest ook lachen. "Ja, het zal wel van oma zijn. Ik had niet gedacht dat het me zo zou beïnvloeden."

"Maar dat is toch vanzelfsprekend. Het schrijven van een boek is wel iets anders dan iemands dagboek lezen. Je moet woord voor woord neerzetten wat je denkt en voelt. Je moet je inleven. Dat heeft een grote invloed op je."

"Moet je jou horen. Het klinkt wel alsof je uit ervaring spreekt."

"Doe ik toch ook!"

"Hoezo?"

"Er komen mensen bij me met hun dromen en dan moet ik die dromen op papier zetten. Dat kost net zo veel energie, denk ik. Het is misschien anders, maar het is toch ook zoiets. Ik kruip in hun huid, in hun wensen en gewoonten en na verloop van tijd heb ik een huis op papier gezet. Misschien kan je een architect niet vergelijken met een schrijver, maar ik vind toch dat er overeenkomsten zijn."

"Hm."

Ze keek opnieuw naar de plaatjes en tekeningen in het boek. "Het hartje klopt al van ons kindje en het heeft al handjes en voetjes. Het is en blijft een wonder."

"Dat ben ik met je eens. Zal ik nog eens koffie inschenken?"

"Nee, dank je. Koffie bevalt me helemaal niet goed de laatste tijd."

"Vruchtensap dan?" Bart kwam overeind, maar liep op de telefoon af, omdat die begon te rinkelen.

"Voor jou. Je hoofdredactrice." Hij overhandigde haar de draadloze telefoon.

"Hoi, met Monique, wat is er?"

"Zo, jij klinkt een heel stuk beter dan de vorige keer."

Monique kleurde. "Ja, sorry, maar toen stoorde je me vreselijk in mijn concentratie."

"Nu niet?"

"Nu zat ik koffie te drinken met Bart."

"Mooi, dan heb je wel even tijd voor mij. Herinner je je nog dat interview van die vrouw die eindelijk zwanger werd na al die behandelingen in het ziekenhuis?"

"Ja, wat is daarmee?"

"Ze wil niet dat het geplaatst wordt."

"Wat?"

"Ze is bang dat ze herkend wordt en opeens wil ze dat niet. Ze zou het niet leuk vinden voor haar kind, als die het later leest."

"Maar je hebt toch wel gezegd dat ik haar een andere naam en leeftijd heb gegeven?"

"Ik heb gepraat als Brugman, maar ze wil het niet geplaatst hebben, dus je zult een ander interview moeten schrijven."

"Dat kan nu echt niet. Eerlijk waar niet."

"Zal wel moeten."

"Nee, hoor. Afspraak is afspraak. Ik heb me eraan gehouden en nou is het jouw beurt."

"Zeg, Monique, zo werkt dat niet!"

Opeens kwam ze overeind. "Ik weet wel iets anders. Je mag een hoofdstuk uit mijn boek plaatsen." Ze werd helemaal enthousiast. "Wedden dat de lezers het interessant vinden?"

"Dat weet ik nog zo net niet."

"Ik wel. Het wordt echt een prachtig boek over een liefde die niet mag."

"Ze gaat met een getrouwde man."

"Hallo, zo banaal is het niet. Nee, mijn boek gaat over pure liefde."

"Ha, wat is dat nog vandaag de dag?"

"Precies, juist daarom wordt het een prachtig boek. Zal ik je een hoofdstuk mailen?"

"Nee, ik wil een interview. De lezers zijn gewend aan een interview en dus wil ik dat."

"Ik lig in bed. Alleen, met mijn gedachten. Het is donker, heel donker, zelfs als ik mijn ogen niet gesloten heb. Toch zie ik je gezicht haarscherp voor me. Je mond, je neus, je ogen en vooral de heerlijklieve blik daarin van wanneer je naar me kijkt. Door het geopende raam komt een zachte voorjaarswind, die teder mijn haren streelt, mijn gezicht, mijn naakte schouders, die boven de deken uitkomen, zo teder, als verder alleen jij dat maar kunt," las Monique voor van de bladzijden die ze van de salontafel pakte. Ze zweeg, maar dat deed de hoofdredactrice ook.

"Nou?" vroeg Monique geestdriftig.

"Ik wacht op het vervolg," zei de redactrice met ingehouden

adem.

"Ha, dat komt er niet. Tenzij je een hoofdstuk wilt plaatsen."

"Dat kan ik niet beloven. Je moet het me eerst laten lezen. Dan pas neem ik een beslissing."

"Maar je wilt het lezen?"

"Ja."

"Dan mail ik het je vanavond nog."

"Waar ben jij mee bezig?" vroeg Bart met opgetrokken wenkbrauwen. "Ik heb het nog niet eens gelezen."

"Maar dat mag, want ik had juist een hele stapel voor je uitgeprint. Alsjeblieft. Ik ga zo naar boven om te mailen, kan jij lekker lezen!"

"Maar waarom doe je dat? Eén hoofdstuk weggeven voor publicatie. Je rukt de boel uit zijn verband."

"Welnee, het is alleen maar gratis reclame voor mijn boek. Snap je dat niet? De lezeressen zullen beslist meer willen lezen en naar de winkel gaan om het boek te kopen."

"Als het uitgegeven wordt."

"Natuurlijk wordt het uitgegeven. Twijfel jij daaraan?"

"Ik twijfel overal aan, Monique. Ik krijg soms opdrachten binnen en dan ben ik door het dolle heen en ga ik aan de slag en opeens blijkt dat ze toch naar een ander gaan. Ik geloof niets meer. Pas als alle details zwart op wit staan, eerder niet."

"Wat ben jij een pessimist, dat had ik niet achter je gezocht."

"Nee, ik ben nuchter en sta met beide benen op de grond."

Monique keek hem glimlachend aan. "Je hebt gelijk, dat scheelt er bij mij nogal eens aan. Ik droom en fantaseer graag, maar dit boek gaat beslist uitgegeven worden! Helemaal als ze een hoofdstuk plaatsen. Dat kan ik dan toch meteen aan de uitgevers laten zien!"

Hij sloeg een arm om haar heen. "Daarom hou ik dus zo van je. Om je enorme enthousiasme. Dat vind ik zo heerlijk aan jou."

Toch betrok haar gezicht. "Ik zit nog steeds met een groot probleem."

"Thom."

"Precies. Ik weet nog steeds niet wie hij is. Ik heb nog twee stellen in oma's adressenboekje gevonden waar ik niets over weet, maar ik vind het moeilijk om oom Ben weer te bellen. Hij drong er zo op aan dat hij de dagboeken kreeg en ik wil ze hem niet geven."

"Maar is het dan nodig dat die Thom ze nog krijgt?"

"Ja, lees mijn verhaal maar, althans de hoofdstukken die ik afheb. Het hele dagboek is aan hem geschreven en de laatste jaren heeft ze nog vaak geschreven dat ze van hem houdt, maar dat weet hij dus niet, omdat ze het hem nooit meer vertelde."

"Niet?"

"Nee. Ze spraken alleen nog over andere dingen."

"Wat een trieste toestand. Weet je zeker dat je de lezers daarmee wilt opzadelen?"

"Opzadelen! Misschien is het verdrietig dat het niet echt wat wordt tussen oma Fenna en Thom, maar om te lezen wat zij voor hem voelde, lieve help, daar moet ik steeds opnieuw van janken, zo mooi en puur is dat!'"

# Hoofdstuk 14

Fenna probeerde de draad van haar leven weer op te pakken, maar de glans was eraf. Nu ze wist dat ze Thom echt niet meer zou zien of horen, had ze het gevoel dat haar wereld was vergaan. 'Tel uw zegeningen een voor een, tel ze alle en vergeet er geen!' Het was een lied dat ze vroeger op de zondagsschool geleerd had en later ook nog wel gezongen had. Nu kwam het zomaar in haar op. Tel uw zegeningen. Ze had er zo veel. Zo veel! Ze had helemaal geen reden om haar hoofd te laten hangen. Ze had eigenlijk alles wat ze wilde en meer dan dat ze nodig had. Ze had alleen geen man in haar leven, maar er waren ergere dingen, bedacht ze grimmig. *Ik kan je niet vergeten. Ik kan het niet. Het zou wel moeten, want je bent van haar en zij wil proberen haar huwelijk te redden en dan mag ik er niet tussen staan, maar ik hou van jou, hou van jou, van jou.*

Ze was blij dat ze werk had en elke ochtend op tijd op moest staan en zich aan moest kleden, want als ze dat niet hoefde, was ze misschien hele dagen in bed blijven liggen. Het werk was ook leuk, werd zelfs steeds leuker en interessanter, omdat Fenna snel leerde en ze haar steeds meer dingen lieten doen. Tegenwoordig mocht ze ook telexen en dat was een wereld op zich, waar ze enorm van kon genieten. Zodra het ding begon te ratelen, rende ze er naartoe en las ze de tekst die letter voor letter binnenkwam. Soms was het een bekende, want inmiddels had ze al met veel zakenrelaties contact gehad en dan schreef ze nog snel een regeltje terug. Dat was helemaal fantastisch, want dan kwam er daarna nog een groet voor haar persoonlijk. Het was zo ongelooflijk dat ze kon zitten typen, terwijl iemand anders in een heel ander land tegelijkertijd kon zien wat ze schreef en erop kon reageren. Dan kreeg ze rode wangen van de opwinding en vergat ze voor een moment haar verdriet.

Ook haar kleinkinderen konden haar haar verdriet tijdelijk

doen vergeten. Laura en Roel vroegen haar toch zeker eens in de veertien dagen een vrijdag- of zaterdagavond op te passen en Fenna deed dat met veel plezier! Peter was al een hele knul, hij zou binnenkort vijf worden en ging al naar de kleuterschool. Monique was nog een echte peuter, drie jaar, schattig en eigenwijs tegelijk. "Wat doe je me toch aan mezelf denken," kon ze keer op keer tegen Monique zeggen. "Ik geloof echt dat ik net zo'n peuter was als jij. Net zo ondeugend en net zo lief." Fenna hield van haar kleinkinderen alsof het haar eigen kinderen waren en ze genoot met volle teugen van het feit dat ze oma was.

En ze had nog steeds haar taallessen en haar gymnastiek.

In het voorjaar van 1976 belde haar moeder haar op om te vertellen dat het slecht ging met vader. Fenna bedacht zich geen seconde, vroeg vrij, stapte in haar auto en reed de lange weg naar Brabant. Twee dagen later was hij er niet meer. Hij stierf aan kanker en het ging zo snel dat ze het nauwelijks bevatten konden en vooral haar moeder was ontroostbaar. "Hoe moet ik nou verder? Nou heb ik niets meer om voor te leven. De boerderij is weg en nou vader ook nog!" Ze woonden al een aantal jaren in een aanleunwoning bij een bejaardentehuis, omdat de boerderij te zwaar voor hen geworden was en ze geen kinderen hadden die hem over wilden nemen.

Fenna begreep haar moeder maar al te goed. Ze herkende zichzelf in haar, zoals zij bij het graf van Kees gestaan had, verslagen, kapot, niet wetend wat nog te doen. Maar toen was Thom er en zij was ook nog jaren jonger. Haar moeder was 82, die kon ze niet meer aanmoedigen autorijles te nemen of op een cursus te gaan. Ze bleef tot na de begrafenis, maar toen moest ze echt weer terug.

Tijdens die lange autorit kwamen de herinneringen aan Thom in hevige mate naar boven. Haar verdriet om haar vader veranderde in de wanhoop om Kees' overlijden. In het graf van haar vader zag ze opeens weer het graf van Kees. Maar bovenal voelde ze opnieuw de hand die haar bij haar elleboog beetpakte. "Kom," zei Thom zacht, "we gaan." Ze kon zich achter het stuur niet verzetten en alles wat er tussen hen gebeurd was, al hun ontmoetingen, hun liefde, alles kwam weer in haar op. De hotelkamers waar ze elkaar bemind hadden, de geheime, gestolen uren, de liefde die ze er bedreven hadden. De herinneringen waren te overweldigend. Ze voelde zich zo alleen.

Zo voelde haar moeder zich ook. Al belde Fenna haar dagelijks, al ging ze sinds de begrafenis om de veertien dagen een nachtje naar haar toe, het deed niets af aan haar verdriet. Vier maanden na haar vaders overlijden stond Fenna opnieuw aan het graf. Hetzelfde graf. De steen was nog niet eens geplaatst, de steen met haar vaders naam.

"Ze stierf van verdriet," hoorde ze iemand zeggen en Fenna knikte, want het was waar.

Zal dat mijn lot ook zijn? vroeg ze zich wanhopig af. Zal ik ook sterven van verdriet? De gedachte liet haar niet meer los. Zou ze sterven zonder ooit het geluk geproefd te hebben van echt en openlijk Thoms geliefde te mogen zijn? *Ik heb vandaag iets vreselijks gedacht en ik schaam me voor mijn eigen gedachten, maar ik dacht het toch. Kwam er zelfs achter dat ik het al eerder gedacht had, maar nog nooit zo bewust. Waarom gaat Marijke niet dood? Dat is wat ik dacht en het spijt me, Thom, dat ik dat durfde denken, maar ik kan nauwelijks verder zo zonder jou. Ik weet niet hoe ik mijn hoofd omhoog moet houden, hoe ik mijn rug moet rechten. Ik heb gedacht dat ik kon wachten. Wachten op die dag dat je vrij zou zijn en echt de mijne kon worden, maar het wachten duurt zo lang. Wanneer zal die dag ooit zijn? Waarom gaat ze niet dood, dacht ik of waarom komt ze niet op het idee om te gaan scheiden? Het spijt me, Thom, dat ik dat dacht, want natuurlijk wil ik niet dat ze dood gaat, maar ik wil zo graag van jou zijn, helemaal van jou - en jij van mij.*

Laura zag het verdriet van haar moeder, ze las het in haar ogen, al deed Fenna opgewekt. Het was logisch dat ze dacht dat het kwam door het overlijden van haar ouders, zo snel achter elkaar. Ze probeerde haar moeder wat op te vrolijken, vroeg haar vaker bij hen op bezoek en ging zelf ook vaker met de kinderen naar haar toe. Het waren heerlijke momenten want Fenna bleef genieten van die twee prachtige kleinkinderen van haar, maar het was altijd maar tijdelijk, de stilte in huis, de eenzaamheid als Laura weer weg was of als ze zelf weer thuiskwam, viel dan dubbelzwaar.

"Moeder," zei Laura op een keer, "ik zou me ook geen raad weten als ik u moest missen, maar ze zijn ruim 80 geworden. Dat is toch een schitterende leeftijd."

"Wat bedoel je, meisje?" Fenna keek haar verward aan.

"Uw verdriet, de trieste blik in uw ogen. Ik begrijp wel dat het erg is dat uw ouders er niet meer zijn, maar het was toch te verwachten?"

Fenna zweeg. Ze wist niet dat het zo zichtbaar was dat ze verdrietig was, maar ze schaamde zich voor Laura's opmerking. Ik treur niet om mijn ouders, had ze willen zeggen, maar ze durfde niet, hield haar mond, keek haar dochter peinzend aan en knikte toen. "Je hebt gelijk. Het moet afgelopen zijn."

"U mag wel verdrietig zijn," zei Laura, "dat snap ik best, maar het lijkt uw leven te beheersen en dat is niet goed."

"Ik zei het al, je hebt gelijk." Ze glimlachte en probeerde haar ogen mee te laten doen, maar wist dat dat mislukte. *Want mijn hart is dood. Het klopt nog wel, maar met doffe tikken, het voelt niet meer wat het zou moeten voelen, elk verdriet is groter dan het zou moeten zijn en elke vreugde is zonder glans. Mijn hart is dood. Zo voelt dat, Thom. Het leeft niet meer. Dood.*

Toch ging het vanaf die dag beter met haar. Ze dwong zichzelf niet langer dan vijf minuten per dag aan Thom te denken en minstens een keer per dag te lachen. Het leek belachelijk om gedwongen te lachen, maar het werkte wel. Ze stortte zich meer op haar werk en op haar studies. Ze besloot zelfs om een cursus Spaans voor beginners te gaan volgen, omdat ze de klanken van die taal altijd al zo mooi had gevonden en al ging het leren steeds moeilijker, omdat ze ontdekte dat ze zich met de jaren steeds moeilijker kon concentreren, ze bleef enthousiast haar huiswerk maken en haar woordjes oefenen.

In het voorjaar van 1980 vloog ze samen met de andere cursisten en de cursusleider voor een lang weekend naar Madrid. Een soort van schoolreisje met vrije tijd en verplichte excursies en toen ze in het vliegtuig stapte voelde ze de trots uit haar ogen stralen. Het was de eerste keer van haar leven dat ze ging vliegen. Ze was 62, maar ze voelde zich zo blij als een kind van 12. Het was ook twaalf jaar geleden dat Kees was overleden en het was niet te bevatten wat ze in die twaalf jaar had gedaan, hoe ze veranderd was, gegroeid en zich ontwikkeld had en nu zat ze in een vliegtuig op weg naar een stad waar de mensen een taal spraken die zij ook al redelijk beheerste.

"Wat zit jij te glunderen, Fenna," zei de man die ze al een paar jaar kende van de cursus Spaans naast haar.

Ze keek hem aan. "Ik heb nog nooit eerder gevlogen en ik vind het fantastisch."

"Nog nooit eerder?"

Ze schudde haar hoofd.

"Maar lieve help, dan moet jij bij het raampje zitten. Waarom zei je dat niet meteen? Kom, maak je riem los, dan ruilen we van stoel."

"Maar de lampjes branden."

"Dat weet ik wel, maar we staan nog stil. Er is tijd genoeg," zei Henk geruststellend.

Ze deed wat hij zei en was hem daar later erg dankbaar voor. Het was onvoorstelbaar indrukwekkend om van zo dichtbij te zien hoe de wereld aan haar voorbijschoot toen het vliegtuig op gang begon te komen en opeens compleet verdwenen was toen ze de lucht ingingen.

"En? Is het zo mooi als je gedacht had?" vroeg Henk geïnteresseerd.

"Het is veel mooier. Het is ongelooflijk. We zweven!" Ze voelde zich echt een kind en haar ogen straalden nog harder. Hij keek haar lachend aan. "Leuk, zeg, zoals jij ergens van kunt genieten." Heel even legde hij zijn hand op de hare. "Ik bof maar dat ik naast jou mag zitten."

*Zijn hand. Wat moet zijn hand op de mijne? Er mag maar een hand op de mijne liggen en dat is die van jou! Ze glimlachte in gedachten. Twee handen, Thom.*

Hij begreep de glimlach verkeerd, maar daar kwam Fenna pas veel later achter. "Is dat het IJsselmeer?" vroeg ze perplex.

"Dat zou zomaar kunnen," beaamde hij. Hij boog zich voor haar langs om ook een blik naar buiten te kunnen werpen.

"Maar dan vliegen we naar het oosten en Madrid ligt toch in het zuiden?"

"Ze maken vaak een bocht. Ik geloof dat dat met de richting van de wind te maken heeft."

's Avonds stond ze op het kleine balkon dat haar hotelkamer had. Van beneden kwamen geluiden, omdat het hotel vrij in het centrum van Madrid lag. Spaanse geluiden, flarden muziek, gerinkel van borden en glazen. *Ik heb gevlogen, Thom. Gevlogen! Net als met jou. Boven de wolken, in de zevende hemel, daar waar jij mij ook brengen kon. Ik ben zo blij. Zo trots ook. En dit alles heb ik aan jou te danken! Jij hebt me voortdurend gestimuleerd. Door jou ben ik al deze dingen gaan doen. Madrid. Wie had dat ooit gedacht? Het Spaanse eten was heerlijk, de muziek soms zelfs opzwepend. De stad bruist. Net als ik! Maar waar ben jij? Ik voelde het verlangen en het gemis naar jou weer zo sterk opkomen, want wat had ik hier graag met jou gestaan, maar toen zag ik de maan. De volle maan aan een wolkenloze hemel. Hij scheen op mij en op dat moment wist ik dat we toch verbonden waren, want diezelfde maan scheen ook op jou. Waar ik ook ga, de zon en de maan gaan mee, de sterren. Terwijl jij nu misschien naast Marijke ligt, schijnt toch mijn maan op jou en ik voelde me heel dicht bij je. Ik voelde je hand in de mijne. Je stond naast me op het balkon en ik was even intens gelukkig.*

Ze hoorde niet dat er iemand op haar deur klopte, die het na vijf minuten kloppen toch maar opgaf.

# Hoofdstuk 15

"Lag je al vroeg in bed?" vroeg Henk toen hij de volgende dag bij haar aan de ontbijttafel ging zitten.

"Tegen twaalven pas."

"Maar ik was om elf uur bij je kamer en heb geklopt tot ik een ons woog."

"Ik stond op het balkon. Ik heb het niet gehoord. Er kwam ook zo veel lawaai van beneden omhoog." Fenna keek hem glimlachend aan. Ze voelde zich goed. Het was zo heerlijk om in Madrid te zijn en "Buenos días" tegen de ober te kunnen zeggen.

"We hebben vanmorgen vrij," zei Henk. "Wat vind je ervan om ergens een terrasje te zoeken en van de mensen om ons heen te genieten?"

"Dat klinkt goed. Het is hier tenminste al aangenaam om buiten te zijn, maar ik wilde toch eerst gewoon wat door de stad lopen."

"Heb je er bezwaar tegen als ik meeloop?"

"Natuurlijk niet."

Hij lachte naar haar. "Afgesproken dan."

Er waren meer mensen die wilden gaan wandelen en met een groepje van acht stapten ze het hotel uit, de Spaanse voorjaarswarmte in. Op het Plaza Mayor bleef Fenna stilstaan en keek ze met grote ogen om zich heen. "Wat een prachtig plein! En moet je al die kunstschilders zien."

"Zullen we hier ergens gaan zitten?" stelde Henk voor. Hij zag blijkbaar zijn kans schoon om zich met Fenna van de anderen af te zonderen.

Ze knikte enthousiast, maar liep op een schilder af en keek hoe hij bezig was de verf op een doek aan te brengen. De schilder lachte haar waarderend toe en even verdronk ze in zijn zwarte ogen. Hij was zeker dertig jaar jonger dan zij, maar dat hij liet blijken dat hij haar mooi vond, deed haar vreemd genoeg toch wat.

"Zullen we daar gaan zitten?" vroeg Henk. "Ik begin al aardig buiten adem te raken."

Ze lachte hem toe. "Misschien moet je ook op gymnastiek gaan, net als ik, maar ga jij maar vast zitten. Ik wil eerst weten wat die schilderijtjes kosten."

"Vind je ze mooi? Welke vind je het allermooist? Dan krijg je die van mij."

Ze keek hem verrast aan. "Waarom?"

"Omdat ik je leuk vind."

"O?"

Henk schoot in de lach. "Is dat zo raar? Je bent toch een leuke, mooie vrouw."

Ze kleurde en voelde het, schoot in de lach om zichzelf.

"Nou, Fenna, welke wil je?"

"Ik wil er zelf een kopen."

"Je krijgt hem."

"Nee, heel lief, maar ik koop 'm zelf." Ze keerde zich naar de schilder die nog steeds naar haar keek. "¿Cuánto cuestan?" vroeg ze hem.

Hij noemde een prijs en Fenna fronste haar voorhoofd. "Hoeveel peseta's zaten er nou ook alweer in een gulden? O ja, 60 gulden vraagt hij ervoor. Dat is best prijzig."

"Je moet ook afdingen, joh. Daar rekent hij op."

"Denk je? Doen ze dat in Spanje?"

"Op straat wel. Laat mij maar even."

"Nee, ik wil met hem praten. Daar heb ik nou Spaans voor geleerd."

"Maar jij durft niet goed genoeg."

"Henk, ik doe het zelf," zei ze feller dan ze wilde.

Hij hield geschrokken op. "Sorry, ik wou je alleen maar een plezier doen."

Fenna noemde een bedrag en de schilder lachte.

"Dat was dus veel te laag," zei Henk. "Zo wordt het niets." Hij noemde ook een bedrag en de schilder knikte instemmend.

"Zie je, hij gaat akkoord met mijn voorstel. Dan wordt het 45 gulden. Dat lijkt me heel schappelijk."

*Dat zou jij dus nooit gedaan hebben. Jij zou me in mijn waarde laten. Je zou ervan genieten dat ik zelf probeerde mijn zaakjes te regelen. Jij zou trots op me zijn.*

"Misschien wel, ja, maar nu is de lol er af voor mij. Ik zei toch dat ik zelf wilde onderhandelen."

"Maar jij bent niet hard genoeg."

"Daar gaat het niet om. Ik hoef niet het onderste uit de kan, als ik het maar zelf mag doen." Ze knikte vriendelijk naar de schilder, draaide zich om en liep weg.

"Fenna, wat is er nou? Je wilde het schilderijtje toch hebben?"

"Laten we maar koffie gaan drinken." Ze liep op een paar lege stoelen af. Hij begreep het niet en zij had geen zin om het uit te leggen.

Een ober kwam op hem af en keek hen vragend aan. "Uno café solo por favor," zei Fenna.

"Sin leche," voegde Henk toe. "Dos café sin leche. Je vergat te zeggen dat je je koffie zonder melk wilt," zei hij tegen haar, "en als je dat niet zegt, krijg je er een hele sloot melk in."

"Maar dat zei ik toch!"

"¿Dos café solo?" vroeg de ober, terwijl hij haar aankeek.

Ze knikte lachend. "Si."

"Sin leche," herhaalde Henk met nadruk.

"Si, si," zei de ober met een knipoog naar Fenna.

"Wat ontgaat mij hier?" Hij leek lichtelijk gepikeerd.

"Café solo betekent alleen koffie en dat betekent dus koffie zonder melk en dat bestelde ik."

"Maar je moet wel zeggen dat je er geen melk in wilt."

Fenna schudde haar hoofd, maar hield haar mond. Hij leek best aardig, Henk, maar hij was overheersend en wilde duidelijk ook altijd zijn gelijk hebben.

"Lekker is het hier. Zeg, Fenna, ben jij eigenlijk getrouwd?"

"Ik ben weduwe."

"Ik ook, nou ja, weduwnaar dan. Mijn vrouw is drie jaar geleden overleden."

"Dat is verdrietig," zei ze. "Kees leeft al twaalf jaar niet meer. Ik ben er inmiddels behoorlijk aan gewend."

"Dat is duidelijk, want ik zag je niet als een treurende weduwe." Hij lachte, maar Fenna vond zijn humor niet leuk.

"Ik moet even naar het toilet," zei hij en stond op.

De ober kwam eraan met de koffie en zette de kopjes voor hen neer. Fenna betaalde hem en zei dat ze even naar de schilder ging, maar zo terugkwam. Hij knikte en Fenna haastte zich terug naar de jongeman met de gitzwarte ogen. Hij lachte haar herkennend toe. Fenna noemde opnieuw het bedrag dat ze eerder al gezegd had. "No, no," zei hij met een twinkeling in de ogen en hij noemde het bedrag van Henk. Ze schudde haar hoofd en deed iets bij haar eigen bedrag op, keek hem stralend aan, haalde toen haar portemonnee uit haar tas alsof de koop al gesloten was en plotseling pakte hij het schilderij, deed er een stuk krantenpapier omheen en stak het haar toe. Ze gaf hem het geld en in een niet te verklaren opwelling een kus op zijn wang en huppelde bijna over het Plaza Mayor terug naar de koffie.

"Waar was jij nou?"

"Ik heb het schilderij gekocht," zei ze opeens timide. Hij zou het vast niet begrijpen, misschien zelfs wel gepikeerd zijn en ze had gelijk.

"Dat had net toch ook gekund," mopperde hij.

"Ja, maar ik wilde het alleen doen," zei ze eigenwijs.

"En dus heb je veel te veel betaald."

"Ik heb er 35 gulden voor betaald."

"O."

Fenna draaide haar hoofd af, zodat hij niet kon zien dat ze lachte, want natuurlijk had ze hier plezier om.

"Goed van jou," zei hij knorrig en dat viel haar van hem mee.

"Maar nu moet je de rest van de dag met dat schilderij sjouwen," zei hij.

"Nee, hoor. Ik breng het zo even naar het hotel."

"Dat hele eind?"

"Ik zei: Ik. Jij kunt gerust verder door de stad dwalen."

"Wou je me alleen laten?"

"Ja."

"Maar we zouden vandaag alles samen doen."

"Helemaal niet. We zouden samen wat drinken op een terrasje en dat hebben we net gedaan."

"Fenna, ik dacht... Je begrijpt toch wel dat ik je leuk vind."

"Dat vleit me ook, maar ik wil toch doen waar ik zelf zin in heb."

*Het viel me op dat ik alweer haast huppelde op weg naar het hotel. De zon scheen al fel, feller dan in Nederland, feller dan op jou, maar het was dezelfde zon en ik voelde me verbonden alsof je naast me liep. Ik moest lachen om Henk, natuurlijk voelde ik me gevleid. Eerst de schilder, toen Henk. Sjonge, wat voelt dat goed, want soms voel ik me ook wel anders, uitgeteld, op, voorbij. En ik zag jouw ogen voor me, warm, goedkeurend, waarderend en vooral vol trots. En samen met jou liep ik verder door de indrukwekkende straten van Madrid.*

"Heeft oma echt nooit een vriend gehad?" vroeg Monique aan haar vader, die even bij hen langs kwam om te vragen hoe het met zijn aanstaande kleinkind ging.

"Niet dat ik me herinner."

"Maar ze ontmoette toch wel mannen?"

"Waar dan?"

"Toen ze nog werkte."

"Maar dat is lang geleden," zei Roel met een peinzend gezicht.

"Of toen ze nog naar cursussen ging."

"Cursussen? Hm, ja, er was iemand, maar die wilde ze niet. Weet je nog toen ze naar het bejaardenhuis moest en we vroegen wat ze allemaal mee wilde nemen? Dat Spaanse schilderij had ik al opzij gezet, omdat ik er vanuit ging dat ze dat mee wilde hebben, maar ze zei dat ze dat niet hoefde. Er zaten maar twee herinneringen aan, zei ze tegen me. De ene was dat het haar eerste vliegtocht was en daar hoefde ze geen schilderij voor te houden en de andere was dat ze het cadeau had kunnen krijgen van een hele eigenwijze en opdringerige man. Nee, die herinnering hoefde niet mee het bejaardentehuis in, zei ze lachend."

Monique knikte en lachte ook. Dat kon ze zich voorstellen.

"Maar jij hebt haar dagboeken. Dan weet je toch of ze een vriend had."

"Ja, maar ik kan het niet geloven. Zo lang alleen. Langer dan ik al leef. Dat lijkt me afschuwelijk."

Roel keek zijn dochter aan. Zijn gezicht betrok. "Hoe maak je daar dan een eind aan, Monique?"

"Hoe bedoel je, vader?"

"Ik ben nu tien jaar alleen en er heeft zich niet een keer een mogelijkheid voorgedaan om met een ander verder te gaan."

"Zou je dat willen dan?"

Roel zweeg even. Kon hij zijn zwangere dochter belasten met zijn eigen problemen? Hij haalde zijn schouders op. "Het is in

elk geval prettiger om sommige dingen met zijn tweeën te doen."
Hij stond op.
"Wat ga je doen?"
"Ik vergat dat er een boek in mijn fietstas zit, waar je om gevraagd hebt."
"Van moeders begrafenis?"
"Ja."
"En de krant?"
"Die heb ik gevonden, maar je maakt het me wel moeilijk," zei hij lachend. "Ik heb het hele huis overhoop gehaald en wat ik allemaal ben tegengekomen! Ik dacht dat ik inmiddels wist wat ik in huis had, maar moeder heeft nog veel meer dingen op zolder gelegd die ze wilde bewaren. Ik vond ook jouw eerste schoolschriftje."
"O ja?" Monique glunderde. "Leuk, heb je dat ook meegenomen?"
"Ja, alles wat van jou was, heb ik meegenomen. Je hebt nu een eigen huis, dus je kunt het zelf bewaren." Even later kwam hij terug met twee grote enveloppen en een album. "Hier, kijk hier later maar eens in. Dit zijn jouw rapporten en andere dingen van school. Dit is het condoleanceboek van moeder. Wat zocht je daarin?"
"Die man, van wie oma hield, is ook op moeders begrafenis geweest."
"Bij Laura?"
"Ja, om oma Fenna te troosten. Ik wou zien of ik zijn handtekening vinden kan en misschien zijn adres."
"Een kennis of vriend van oma?" Roel fronste zijn voorhoofd en dacht diep na, maar schudde toen zijn hoofd. "Ik zou het niet weten, maar ja, ik weet toch al niet veel meer van die dag." Hij zuchtte. "Het was de zwartste dag uit mijn leven."
Monique zweeg en durfde nauwelijks in het boek te gaan kijken. Ook zij kon nog huilen als ze aan het overlijden en de begrafenis van haar moeder dacht en daarom verdrong ze de gedachte meestal snel, want ze had toen al zo veel gehuild en wilde niet opnieuw beginnen. Ze ging verzitten en maakte demonstratief

de knoop van haar broek open. "Poeh, hé, hij begint nu al te strak te worden."

Het werkte. Roel keek haar opeens weer stralend aan. "Wat zei de verloskundige?"

"Dat ik er mooi op tijd bij ben, dat alles prima lijkt en dat ik over een maand terug moet komen."

"Eerder niet?"

"Nee, behalve als ik klachten krijg."

"Maar die heb je niet? Ben je misselijk 's morgens?"

"Nee, totaal niet. Ik heb alleen niet zo veel zin meer in koffie. Dat is het enige."

"Laura was juist vreselijk misselijk toen ze van jullie in verwachting was."

"Ja?"

"Maar meer klachten had ze ook niet en na drie maanden was het weer voorbij. De rest van de zwangerschap heb je je voorbeeldig gedragen." Roel glimlachte.

"O. En nu niet meer?"

Roel lachte nog harder. "Nu kan je soms raar uit de hoek komen. Maar ja, dat zal wel bij creatieve mensen horen."

"Zeg, vader, wat vind jij er eigenlijk van dat je over drie jaar 65 wordt? Of stop je eerder met werken?"

"Ik heb wel een aanbod gehad. Ik kon er voor mijn 60$^e$ al uit, maar dat wilde ik niet. Ik houd het vol tot ik 65 ben en daarna…" Hij haalde zijn schouders op en zuchtte. "Misschien kan ik oppasopa worden?"

"Leuk! Daar hou ik je aan en verder?"

"Ik weet het nog niet, Monique, maar ik maak me er ook niet zo druk over. Je kunt wel van alles plannen, maar dan loopt het toch anders."

Monique begreep hem maar al te goed. Je wist immers nooit wanneer je kwam te overlijden. Moeder was maar 53 geworden. Nog een heel leven te gaan en ze was er niet meer.

Ze pakte de krant en keek naar de datum. 10 oktober 1983.

"Jouw tekst staat op de derde pagina."

Monique sloeg snel een bladzijde om en keek naar een schattig meisje dat haar vriendelijk toelachte. "Er staat een foto van mij bij!" riep ze uit.

"Ja, dat vond oma leuk. Toen zij eenmaal in de redactie zat, wou ze er ook werk van maken."

"Die oma. Ik kan me dat helemaal niet meer herinneren."

"Ze schreef er ook stukjes voor, schiet me nu weer te binnen, maar die wilden ze niet plaatsen. Ze vonden dat ze te ouderwets schreef, met veel te dure woorden."

"Oma? Die alleen maar huishoudschool had?"

"Precies," lachte Roel. "Ik weet nog dat zij dat ook zei. Ze mopperde tegen Laura dat ze alleen maar teksten mocht overtypen en zelf geen enkele inbreng mocht hebben en ze begreep er niets van. Te dure woorden! Ze kende niet een duur woord, zei ze."

"Heb je die teksten wel eens gelezen?"

"Nee, maar Laura wel en tot haar eigen verbazing was ze er best van onder de indruk. Toen zei ze al dat jij het schrijven van oma had, maar dat ze dat nooit van oma geweten had."

"En waar zijn die teksten gebleven?"

"Ik denk dat oma ze heeft weggegooid. Wat moest ze er anders mee?"

"Jammer, zeg."

"Ja, Monique, je kunt niet alles bewaren. Kom maar eens een dagje bij ons op zolder kijken, dan zie je dat ik gelijk heb."

"Maar mijn rapporten die bewaar ik altijd!"

"Wees daar nou maar niet zo zeker van," zei haar vader lachend.

"Hoezo?"

"Al die onvoldoendes!"

"Flauwerd, je plaagt me. Zal ik nog wat te drinken inschenken?"

"Ja, doe maar. Wat blijft Bart trouwens lang weg."

"Zit je op hem te wachten dan?"

"Nee, maar ik dacht dat hij zo wel zou komen."

"Lieve help, vader, dat duurt nog uren. Het is zijn poolavond, dan komt hij nooit vroeg thuis."

Ze stond op en kwam terug met een pak vruchtensap en een

pilsje voor haar vader. "Wat heeft oom Ben trouwens met dat horloge van oma gedaan?"

"Hij wilde het aan zijn dochter geven, maar die hield niet van zulke ouwe troep, had ze gezegd."

"Ouwe troep!" herhaalde Monique.

"Ach ja." Roel haalde zijn schouders op. "Ergens heeft ze ook wel gelijk. Het horloge is al eeuwen oud en totaal niet meer van deze tijd."

"Eeuwen oud?"

"Ja, oom Ben zegt dat het nog van zijn oma geweest is."

Monique glimlachte, maar ze zou het niet zeggen. Oom Ben moest maar denken wat hij wilde, zij wist inmiddels veel beter.

"Heeft dat ene hoofdstuk al in het tijdschrift gestaan?" vroeg Roel.

"Dat is waar ook. Nee, nog niet, maar de redactrice heeft wel gebeld en ze was wild enthousiast en ze gaat het zeker plaatsen en ik heb trouwens een beslissing genomen." Ze keek haar vader ernstig aan. "Als het me toch lukt om erachter te komen wie Thom is, vertel ik dat aan niemand. Ook aan jou niet, zelfs niet aan Bart. Oma heeft het zo angstvallig geheim gehouden, dat moet zo blijven."

"Je kunt ook het boek niet uitgeven."

"Zou kunnen, maar oma was er zo trots op dat ik schreef en wat is er mooier dan om samen met haar een boek uit te geven. En oma wist dat ik het ladekastje zou krijgen. Ik denk dat ze de dagboeken daarom nog niet vernietigd had, maar ik kan je geruststellen, ik geef het uit onder pseudoniem. Ook in het tijdschrift staat er een pseudoniem onder, omdat ik niemand kwetsen wil en de hoofdredactrice heeft me beloofd dat ze mijn naam tegen niemand zeggen zal."

"Daar snap ik nou niets van. Stel dat het boek hartstikke goed loopt, dan kan jij tegen niemand zeggen dat jij de schrijfster bent."

Monique haalde haar schouders op. "Dat zien we dan wel weer. Maar ik denk toch dat ik mezelf niet bekend maak, zolang ik niet

weet wie Thom is en zolang hij nog leeft."
"Juist ja, Thom. Heb je nog hulp nodig bij die al die namen?" Hij knikte in de richting van het condoleanceboek.
"Zou je willen helpen dan?"
Bart keek raar op toen hij eindelijk thuiskwam. Vader en dochter dicht bij elkaar aan de eettafel en overal lagen papieren en de kaart van Nederland en de telefoongids van Noord-Holland.
"Waar zijn jullie mee bezig?"
"Dat heet nou determineren en elimineren," zei Roel lachend, "maar je hebt volkomen gelijk. Ik ga naar huis!"

# 25

# Hoofdstuk 16

Al die jaren kreeg Fenna elk jaar voor haar verjaardag en met Sinterklaas een cadeau van Thom over de post. Altijd vergezeld van een mooie kaart met een lieve tekst. Ze had ooit gezegd dat hij daarmee moest stoppen, maar daar had hij niet naar geluisterd. "Fenna, gun me het plezier van iets te bedenken en naar de winkel te gaan en te zoeken naar iets waarvan ik denk dat jij er blij mee bent. Het is het enige nog wat ik heb. Laat me dat houden."

Het lukte hem ook keer op keer haar te verrassen met iets waar ze echt blij mee was, zoals een groot fotoboek over Londen, een boek over Spanje of hele dure parfum en een keer een prachtig fototoestel.

De kaarten hing ze een poosje boven haar bed, maar soms kreeg ze het te benauwd, was ze bang dat iemand de lieve woorden én de afzender zou lezen en dan lijstte ze de kaart zo in, dat niemand ooit achter de afzender kwam, omdat ze die ervan had afgeknipt.

Elke keer belde ze hem op om hem te bedanken voor het prachtige cadeau. Ze belde hem met opzet thuis om niet weer de vertrouwelijke, intieme sfeer van eerst te proeven. Soms dezelfde dag nog, soms een paar dagen later, omdat ze niet wilde dat het op zou vallen en Marijke er iets achter ging zoeken. Natuurlijk kon Thom dan niet zeggen wat hij wilde, maar dat was ook Fenna's bedoeling. Het waren eigenlijk nog de enige contacten die ze hadden, twee keer per jaar, en dan wisselden ze wat gegevens uit. Heel soms belde Marijke op om te vragen hoe het ging en vaak verweet ze Fenna dan dat die niets meer van zich liet horen en daar kon Fenna haar geen ongelijk in geven, maar hoe ze dan wel contact moest onderhouden, dat wist Fenna ook niet.

*Je woont in mijn lichaam, je bent er altijd. Ook als ik niet aan je denk en eigenlijk denk ik de laatste tijd veel minder vaak aan je, toch ben je in mij,*

*je bent een met mij, ik sta met je op en ga met je naar bed. Je woont in mij,*
*ik voel je aanwezigheid altijd, ook dus als ik eens niet aan je denk.*

In elk geval wist ze wel dat Thom nog steeds niet met pensioen
gegaan was, al was hij drie jaar geleden 65 geworden. Hij zag er
zo tegenop om hele dagen thuis te zijn, dat hij gevraagd had aan
te mogen blijven en gelukkig konden ze hem nog goed gebruiken
en ging hij ook nog regelmatig op zakenreis.

Voor Fenna zag de toekomst er anders uit. Zij moest stoppen op
haar 65$^e$ en dat was al over drie weken. Ze zag er, net als Thom,
als een berg tegenop, maar wel om heel andere redenen.

"Maar wat geeft het moeder? Vroeger was u alle dagen thuis," zei
Laura. "U hebt toch een prachtig huis, waar u zich thuis voelt."

"Ja, maar ik zal de contacten missen. De collega's, de relaties."

"Maar u blijft toch nog wel naar les gaan?"

"Natuurlijk, maar dat is twee keer in de week. Werk was elke
ochtend."

"Dan gaat u meer bejaarden bezoeken," stelde Laura voor.

Fenna schoot in de lach. "Lieverd, als ik nog meer bejaarden ga
bezoeken, ga ik mezelf net zo oud voelen. De afgelopen jaren
had ik het gevoel dat ik elke dag jonger werd. Ik heb zo veel
geleerd en gedaan als ik de eerste vijftig jaar van mijn leven niet
gedaan had en het lijkt alsof alles opeens ophoudt, stilstaat, alsof
mijn leven voorbij is."

"Moeder!" riep Laura uit. "Doe toch niet zo pessimistisch. Ga wat
vaker op vakantie of ga ander vrijwilligerswerk doen. Als u het
zo leuk vindt om te typen, ga dan bij de lokale krant werken."

Fenna keek haar dochter verbaasd aan. "Wat een te gek idee, zeg.
Dat klinkt goed." Even vloog het door haar heen dat Laura jaren
geleden nog dacht dat ze niet in staat was te werken en nu kwam
ze opeens met een prachtig idee. Ze lachte. "Dat klinkt echt heel
goed. Ik zal eens met de redactie gaan bellen."

"Dan heb ik hier meteen iets wat u zou kunnen plaatsen als ze u
kunnen gebruiken."

"Hoe bedoel je?"

"Dit heeft Monique geschreven. Lees maar eens. Kan zo in de

krant."

Fenna pakte het verrast aan en las de tekst: 'Ik zag een kindje op de tv. Ze had een hele dikke buik. Omdat ze honger had. Dat lijkt gek. Maar het was toch waar. En dat vind ik best wel raar. In mijn klas zit ook een kindje met een dikke buik. Ze is tien. Net als ik. Maar die heeft echt geen honger. Ik vind het gemeen dat je een dikke buik krijgt, als je veel honger hebt. Je lijkt gezond. Maar je gaat dood. Ik vind het ook gemeen dat er kindjes zijn die honger hebben. Wie doet dat?'

"Sjonge, wat een bewogen vrouwtje, die dochter van jou. En eentje met schrijverstalent!" Fenna glimlachte. "Van wie zou ze dat hebben? In elk geval moet dit in de krant. Met een gironummer eronder waar de mensen geld op kunnen storten. Ik bel ze morgenmiddag meteen op."

Het kwam er echter die dag niet van, omdat de telefoon ging toen ze thuiskwam van haar werk.

"Met Fenna," zei ze opgewekt.

"Lief."

Haar hart hield op met slaan. Haar hele lichaam werd warm en rood. 'Thom,' wou ze zeggen, maar ze kreeg er geen geluid uit. Ze liet zich op een stoel zakken, omdat haar knieën het begaven. "Thom," fluisterde. De enkele keren dat ze elkaar spraken, was wanneer zij belde om hem te bedanken en dan was ze voorbereid. Dit kwam zo onverwachts.

"Hoe gaat het met je?" vroeg hij zacht

Ze kon nog steeds niet praten. Haar hart ging nu zo te keer, dat het haar de adem benam.

"Ben je boos dat ik bel?"

*Natuurlijk niet, ik wou dat je elke dag belde. Ik mis je stem, ik verlang naar je. Waarom houd je je ook aan mijn verzoek om niet te bellen? Waarom doe je zo netjes wat ik je vroeg, smeekte.*

"Nee," zei ze zacht. "Je maakt me aan het schrikken."

"Schrikken?"

"Ja!" riep ze uit. Opeens was haar stem er weer. "Ik was hier niet op voorbereid."

Hij was even stil.

"Je woont tegenwoordig alleen nog in mijn dromen en in mijn fantasie. Het is bijna onwezenlijk om je dan opeens zomaar in het echt aan de telefoon te hebben."

"Oh. Ik heb in gedachten alle dagen een gesprek met je. Ik vertel je alles wat ik doe en denk. Je bent zo een met mij, lief, dat je altijd bij me bent."

"Maar niet in het echt!" riep ze vertwijfeld uit. "En trouwens, je mag niet aan me denken. Je moet aan Marijke denken."

"Marijke?" Hij zweeg, wilde haar niet met zijn problemen lastig vallen. "Luister, Fenna, je wordt binnenkort 65 en ik wilde je iets heel speciaals geven. 65 is een bijzondere leeftijd, ik wou iets bijzonders geven, maar ik weet niet waar ik je echt een plezier mee kan doen."

"Bijzonder? Ik moet stoppen met werken. Niks bijzonder. Ik vind het helemaal niet leuk. Ik ga mijn collega's missen en de mensen in het buitenland met wie ik af en toe bel. Ik voel me afgedankt, afgeschaft. Ik vind 65 helemaal niet bijzonder."

Hij was opnieuw stil, omdat hij haar zo goed begreep.

Ze hoorde hem ademhalen en kroop dicht tegen hem aan. *Ik voelde je armen weer om me heen. Er was niets veranderd. Alles wat ik had weggestopt en waar ik probeerde niet meer aan te denken was er weer. In een enkele seconde was alles er weer. Mijn verlangen naar jou, mijn liefde voor jou, mijn brandende verlangen. Ik hoorde je ademhaling en voelde de zachte wind ervan in mijn hals, mijn oren. Ik kroop nog dichter tegen je aan en je streelde mijn rug met je vrije hand. Thom, ik heb nooit geweten dat een stem zo veel te weeg kon brengen, maar alles, alles in mij is in oproer. Ik mis je zo.*

"Een horloge," hoorde ze zichzelf opeens zeggen. "Een horloge zou ik wel willen hebben. Eentje die overal bij past. Klein, onopvallend, maar van jou. Dat kan ik dan altijd dragen, alle dagen, dag en nacht, dan ben je nog dichter bij me en voel ik me nog meer verbonden met jou." *Waarom zei ik dat? Ik wilde afstand bewaren, maar ik haalde je dichterbij. Waarom had ik mezelf niet in de hand? Thom, je bent van haar, maar ik wil je.*

"Dat klinkt lief." Hij klonk schor. "Dat zou ik je vreselijk graag willen geven. Die gedachte ontroert me, Fenna. Dat jij iets draagt, altijd draagt, wat je van mij gekregen hebt. Ik ga voor je zoeken."

*Ik wilde zeggen dat ik me vergiste, maar ik kon het niet. Het idee dat ik zoiets van jou zou krijgen, iets waar ik altijd naar kon kijken, wie er ook bij me was en dat niemand wist dat het van jou was, alleen ik en jij...*

*Wat we verder nog zeiden, weet ik eigenlijk niet eens meer. Ik weet alleen dat je me volkomen verwarde en dat alles waarvan ik dacht dat het de afgelopen jaren een beetje tot rust gekomen was, plotseling weer recht overeind stond. Bij jou voelde ik me thuis, veilig, geborgen. Bij jou was ik mezelf, de enige echte Fenna. Thom, ik ga hieraan onderdoor. Bel me nooit meer. Doe het niet. En stuur ook geen horloge. Stuur me een ring. Een trouwring.*

# 26

# Hoofdstuk 17

"Hoe ga jij daar nou mee om?" Gerrie van de schoenenzaak keek Fenna vol belangstelling aan.

"Ach, dat weet ik eigenlijk niet."

"Maar heb jij daar dan geen last van? Oké, jij bent veel slanker dan ik, dus misschien is het bij jou wel niet zo erg, maar ik kan er niet goed tegen, tegen al dat hangende vlees aan mijn lichaam."

Ze hadden elkaar al een paar jaar niet meer gezien, maar waren elkaar toch weer tegen het lijf gelopen. Gerrie had haar spontaan bij zich uitgenodigd en Fenna had met veel plezier toegezegd. Vanavond was ze dus bij haar vroegere cheffin op visite, maar ze was somber gestemd. Fenna kende haar zo eigenlijk niet.

"Moet je mijn benen zien. Alle model is eruit. Het vet hangt erbij. En mijn bovenarmen zijn verschrikkelijk, om van mijn borsten maar te zwijgen. Die hangen al bijna op mijn navel."

"Nou, Gerrie, dat zal toch wel meevallen."

"Helemaal niet. Moet je zien." Ze stond op en wilde haar truitje omhoog doen.

"Laat maar," zei Fenna lachend. "Ik geloof je zo wel."

"Heb jij dat dan niet? Jij bent nog ouder dan ik!"

"Ik bekijk mezelf nooit zo. Het hoort erbij als je ouder wordt."

"Maar ik wil dat niet, Fenna. Ik vind het vreselijk. Zo is er toch geen man meer die mij nog hebben wil!"

"Heb je klachten dan?" vroeg Fenna glimlachend.

"Nee, dat nog niet, maar straks durf ik me voor niemand meer uit te kleden."

"Voor wie moet je je uitkleden dan?"

"Nou ja, zeg. Dacht je dat ik niet af en toe een vriend had?"

"Dat weet ik niet," zei Fenna.

"Ik wel. Ik hou er niet van om alleen te zijn, zoals jij. Ik hou dat niet uit. Dus neem ik een vriend, maar ik hou het nooit lang vol met iemand, maar als het zo doorgaat met mijn lichaam, dan kan ik ze wel op mijn buik schrijven."

"Is die nog wel mooi dan?" Het was een grapje, maar Gerrie kon er niet om lachen.

"Ik vind het vreselijk om oud te worden. Volgend jaar word ik 60. Ik moet er niet aan denken!" riep Gerrie uit.

"Maar zo zie je er toch niet uit!"

"Nee, als ik aangekleed ben, valt het wel mee, maar ik gruwel van mezelf als ik in de spiegel kijk. Hier, zie die armen eens. Dat vlees is gewoon raar geworden, oud, vies, blubber."

"Kom, je stelt je aan, je ziet er echt nog geweldig uit. Vertel liever eens hoe het in de schoenenwinkel gaat."

"Ach, ze zeuren altijd zo, die klanten. Nee, ik zal blij als ik met pensioen kan. Ik heb inmiddels 40 jaar in een schoenenwinkel gestaan. Ik vind het wel genoeg."

"40 jaar?"

"Ja. Ik heb wel een medaille verdiend, vind je ook niet?"

Fenna knikte. "Ik doe tegenwoordig vrijwilligerswerk bij onze plaatselijke krant. Ik typ de teksten en maak de lay-out."

"Vrijwilligerswerk? Bedoel je dat je werkt zonder geld te verdienen?"

"Ja, maar het is ontzettend leuk. De meeste mensen die er werken zijn jongelui. De groep is niet erg groot, maar ik voel me er prima op mijn gemak."

"Maar zonder er geld voor te krijgen?"

"Ik ben nou 67, dan vind je geen betaalde baantjes meer en dat hoeft ook niet. Als ik maar lekker bezig ben."

"Maar je gaat toch niet voor niets werken?"

Fenna bleef niet erg lang, want ze voelde zich niet op haar gemak. Gerrie was veranderd of misschien ook niet. Vroeger had ze nooit privécontact met haar gehad, maar ze vond het in elk geval niet echt prettig. Ze wist goed dat ze zelf ook regelmatig pessimistische buien had, maar Gerrie was over alles somber. Ze voelde dat het besmettelijk was en daarom stond ze op en zei ze dat ze weer naar huis ging. "Ik kom liever niet al te laat thuis," zei ze verontschuldigend.

Ze was echter niet vroeg genoeg weggegaan, want de somberheid van Gerrie was op haar overgeslagen en thuisgekomen liep ze de trap op naar de badkamer en daar kleedde ze zich uit. Stil stond ze naar zichzelf te kijken. Het was waar, dat deed ze niet vaak, maar het was ook waar wat Gerrie gezegd had. Haar armen zagen er anders uit dan vroeger. Oud vlees, dacht ze. Oud, verzakt vlees. Zo hadden haar moeders armen er ook uitgezien en dat had ze normaal gevonden want die was oud, maar nu kreeg ze het zelf ook en opnieuw dacht ze dat Gerrie gelijk had, het stond niet mooi. Het stond helemaal niet mooi!

Alleen haar borsten. Vreemd genoeg waren die nog strak. Ze hingen wel iets, maar niet op haar navel. Nee, het enige wat nog meeviel, dat waren haar borsten, maar haar armen, haar benen, haar buik, alles begon te hangen en te zakken. Ze zag een traan over haar wang glijden en ze veegde hem weg terwijl ze in de spiegel keek. "Thom," fluisterde ze. "Hoe moet dat nou met ons? Stel dat het nog tien jaar duurt voor je vrij bent, wil je mij dan nog wel? Zo'n uitgezakt, oud mens? Of vijftien jaar? Thom! Als je eindelijk vrij bent, dan is het te laat. Dan wil je me niet meer." Ze begon te huilen en keek zichzelf kwaad aan. "Waarom ben ik ook naar Gerrie toe geweest," zei ze snikkend. Ze draaide de douchekraan open en stapte onder het warme water, waar haar tranen zich mee vermengden.

*Nu ben ik nog redelijk mooi, nog een klein beetje aantrekkelijk, maar er is niemand die het ziet. Niemand, Thom, zelfs jij niet en als het eindelijk zo ver is, dat we toch samen zijn, dan ontmoet je een oud, afgetakeld mens. Kan je dan nog van me houden?*

De volgende ochtend deed ze iets wat ze al lang niet meer gedaan had. Ze draaide het nummer van Thom en Marijke.

Marijke nam op.

"Dag, met Fenna. Hoe gaat het bij jullie?"

"Fenna! Sjonge, leef jij nog?"

"Ja. Jij ook?"

"Onkruid vergaat niet."

"Over wie heb je het," vroeg Fenna zo vrolijk mogelijk.

"Over mezelf, maar ik geef je Thom wel even."

Voor ze iets terug kon zeggen, kwam Thom aan de lijn. "Fenna?"

"Ja, dag! Is Marijke boos?"

"Nee, ze heeft hoofdpijn."

"Dus er is nog niets veranderd?"

"Nee, niets."

"Helemaal niets? Is ze nog altijd dezelfde?"

"Helemaal niets."

"Zijn jullie elkaar niet nader gekomen de laatste jaren?"

"Nee, Fenna."

"Dan wil ik je ontmoeten."

Het bleef doodstil aan de andere kant van de lijn en dat begreep ze wel. Hij kon onmogelijk terugzeggen wat hij wilde zeggen.

"Bel je me een keertje op?" vroeg ze om het hem gemakkelijker te maken.

"Doe ik."

"Fijn, maar nu moeten we nog even over koetjes en kalfjes praten, anders gaat Marijke zich afvragen waar ik voor belde."

"Ik heb een verrekijker gekocht en ik ga tegenwoordig vogels kijken," vertelde hij. "Dat is best een leuke hobby. Ik heb al tientallen verschillende vogels gezien."

Ze luisterde glimlachend, koesterde zich in zijn stem en weer verbaasde het haar zo vertrouwd als hij klonk.

Hij belde nog geen uur later. Hij begreep niet waarom ze een afspraak wilde maken, maar hij vroeg ook niet naar de reden en daar was Fenna blij om. Ze deed wel een poging om hem te waarschuwen. "Ik ben jaren ouder geworden, hoor. Je vindt me misschien zelfs wel lelijk!"

"Fenna!" riep hij uit. Meer hoefde hij niet te zeggen. De klank in zijn stem was voldoende om haar te laten weten dat ze nooit oud zou worden in zijn ogen.

# 27

# Hoofdstuk 18

Een paar dagen later stapte Fenna in haar auto. Op weg naar een hotel in Haarlem. Een hotel dat Thom had uitgezocht en waar hij een kamer voor hen geboekt had. Ze trilde van de zenuwen. Ze was bang dat ze hem tegen zou vallen en ze was bang dat ze hem nooit meer wilde laten gaan. Ze verlangde naar hem en wenste dat ze de afspraak niet gemaakt had. Ze was zo in de war, dat ze vergat te schakelen en even later aan de kant van de weg moest stil gaan staan om tot zichzelf te komen.

Het was tien jaar geleden dat ze elkaar voor het laatst gezien hadden. Tien hele jaren waren er voorbij gegaan. Thom was nu 70. Sinds een paar maanden werkte hij niet meer. Hoe zou hij er eigenlijk uitzien? Grijs? Kaal? Waarom deed ze dit? Waarom rakelde ze alles in haar hoofd en hart weer op?

*Ik ben best gelukkig met het leven dat ik heb, want ik heb zo veel, maar er hangt altijd een waas over mijn leven heen, een waas van ongeblust verlangen naar jou. Het feit dat jij van mij houdt, de liefste man op de wereld, dat feit geeft mijn leven inhoud, een gelukzalig gevoel van warmte en trots, maar laat het tegelijkertijd zijn glans verliezen. Ik wil die glans terug en ik wil nog eenmaal liefhebben, nu mijn lichaam nog aantrekkelijk is!*

Ze was er eerder dan Thom, wist niet goed wat te doen. Naar hun kamer of in de hal op hem wachten? Er was een bar en daar ging ze zitten, bestelde koffie en keek naar buiten, hield tegelijkertijd de ingang in de gaten.

*Ik zag je binnenkomen. Jij zag mij zitten. We keken naar elkaar en ik stond in vuur en vlam. Alles gloeide aan me, trilde, was opgewonden, tot het uiterste gespannen. Je kwam op me af, pakte me beet en ik jou, maar we kusten niet, keken elkaar alleen maar aan, voelden onze handen op onze kleren. Oh, Thom, wat hou ik van je! En wat was het duidelijk wat jij voor mij voelde!*

*Je was nog precies dezelfde. En dat was ik ook, zei je later tegen me, maar je jokte, want ik zie toch zelf hoe ik ouder geworden ben. Maar jij niet. Jij was nog helemaal de Thom van wie ik al die jaren gehouden had en ik voelde me zo vertrouwd. Je kwam bij me zitten, nam ook koffie en we keken elkaar alleen maar aan, zeiden nauwelijks wat. Onze handen gingen hun eigen weg. Weer was er die onbedwingbare aantrekkingskracht, vingers die elkaar beetgrepen, streelden, vasthielden als een redding in de nood, als twee mensen die niet zonder elkaar konden, onze handen vertelden ons verhaal.*

*Hoe kwam je erbij om te vragen of ik iets eten wilde? Wie dacht er nou op dat moment aan eten? Of was je zenuwachtig, bang voor de confrontatie op onze hotelkamer? Bang dat we toch ouder geworden waren? Vreemden voor elkaar?*

*Maar alles was zo vanzelfsprekend, de jaren vielen weg, het was alsof ik je gisteren nog gevoeld en gezien had. Mijn lichaam ging een eigen weg, ik had mezelf niet in de hand. Het leek alsof ik uit mezelf gestapt was en vanuit de hoogte toezag hoe wij ons aan elkaar vastklampten, zoenden, begeerden en beminden. Ik wist nog wel welke gevoelens jij in mij wakker kon maken met je handen, maar ik was eerlijk gezegd vergeten hoe zacht jouw handen waren, dat ze zo teder konden zijn, zo ontzettend heerlijk zacht aan konden voelen. Dat overrompelde me opnieuw, zoals het dat jaren geleden ook gedaan had.*

*Net als de blik in je ogen, die blik waar ik elke dag van droom, die blik was er nog steeds, voor mij! De blik waarmee je me liet zien hoeveel je van me genoot, hoe fijn je het vond mij te zien en mij bewonderde om wie ik ben. Ik voelde me weer zo speciaal bij jou.*

*Later gingen we toch eten. We zaten tegenover elkaar en ik herinner me mijn eigen waterval. Ik kon niet stoppen met praten, vertellen. Was ik nog steeds zenuwachtig of was ik bang dat ik niet genoeg tijd zou krijgen om je alles over mijzelf te vertellen? Want je moest alles weten, wie ik geworden was, wat ik deed, hoe ik me voelde. Alles, Thom, want jij bent de enige die ertoe doet en ik ratelde maar door, vertelde anekdotes, voorvallen, geluk en verdriet en ondertussen verdronk ik in je ogen, je glimlach die me zo duidelijk liet zien hoe blij je was.*

*"Waarom ga je niet scheiden, Thom?" Plotseling had ik de vraag gesteld, de vraag die ik niet zou stellen.*

*"Fenna, dat mag je niet van me vragen." Je keek me gepijnigd aan en ik zweeg. Het speet me dat ik hardop gezegd had, wat ik in stilte al zo vaak*

*gevraagd had. Jij hield je belofte en dat was waar ik je om bewonderde, maar ik kon er nog steeds niet mee omgaan. Mijn verstand gaf je gelijk, maar mijn gevoel was het er niet mee eens en zo was het al die tijd al, sinds ik je kende. Een voortdurend gevecht tussen mijn gevoel en mijn verstand. Oh God, geef mijn gevoel verstand!!*

*Later liepen we nog even door de donkere straten van de stad. We liepen hand in hand en keken naar winkels, mensen, maar veel herinner ik me er niet van, alleen dat jij mijn hand vasthield en heel dicht naast me liep, bij me was zoals je eigenlijk altijd bij me was, in Madrid en in Enkhuizen, maar nu was het echt, ik kon je knijpen.*

*En 's nachts was er die opmerkelijke constatering, toen je zag dat ik niet sliep. "Je bent ook niet gewend dat er iemand naast je ligt," zei je glimlachend en ik was verrast. Zo ontzettend verrast, want dat was geen seconde in me opgekomen. Het was alsof het de normaalste zaak van de wereld was, alsof je altijd naast mij gelegen had, elke nacht, dicht tegen me aan en dat verbaasde me zo, want je had gelijk - ik was elke nacht alleen, toch voelde het zo normaal, zo vertrouwd, zo vanzelfsprekend. Je stoorde me geen moment en nu weet ik waarom: Je hoorde naast mij te liggen, net als je de afgelopen jaren elke nacht had gedaan.*

*Jouw ogen die naar me keken toen ik 's morgens wakker werd, het eerste wat ik zag, het eerste wat ik voelde. Die warme, liefkozende blik. Ik weet dat je van me houdt. Ik weet het, Thom en weet je, het is goed!*

*Want nu ik over die nacht schrijf, voel ik geen brand meer in mijn lichaam, ik voel me alleen maar heerlijk en gelukkig, geen verlangen, geen verscheuren van verlangen meer, het is goed. Jij houdt van mij. Ik hou van jou. We hebben het elkaar zo vaak bewezen. Het hoeft niet meer bewezen te worden. Het is een voldongen feit. En met die wetenschap moet ik verder, kan ik opeens verder ook. Zelfs na tien jaar was de liefde onveranderd, over tien jaar zal dat nog zo zijn. Alle afgelopen jaren hoopte ik te kunnen wachten op die dag dat je echt van mij zou zijn, maar die dag was er eeuwen geleden al! Je bént van mij! Ik bén van jou. Daar kan niets of niemand wat aan veranderen. Wij horen voor eeuwig bij elkaar en al zien we elkaar misschien nooit meer, het is goed.*

*Je maakt me gelukkig. Jij geeft mijn leven glans. Ook als je er niet bent, ook als ik je niet hoor. Te weten dat jij, juist jij, van mij houdt, het is opeens genoeg. Ik heb alles wat mijn hart begeert. Mijn huis, mijn gezin, mijn hobby's buiten de deur - en ik heb jou!*

*als een huid*
*sluit de geborgenheid*
*die jij*
*me*
*gaf*
*om me heen*

*geborgen*
*zit*
*mijn lichaam*
*in*
*jouw liefde*

*En het is goed, Thom. Het is eindelijk goed!*

# 28

Monique huilde en lachte tegelijk. Huilde van ontroering door oma Fenna's woorden die ze net stuk voor stuk had overgetypt uit haar dagboek. Lachte, omdat ze erom huilen moest. Ze stond op, voelde dat ze stijf was van het lange zitten en schudde haar hoofd. Hoe had ze kunnen twijfelen aan Barts liefde voor haar! Al drie weken was ze nu als een bezetene bezig oma's woorden tot een boek te vormen, drie weken lang bijna niet aanspreekbaar en hij liet haar begaan. Hij kwam niet vragen wanneer ze nou eens naast hem kwam zitten op de bank. Hij dwong haar niet te eten op het moment dat hij gekookt had. Hij liet haar doen wat ze duidelijk moest doen, hij liet haar los, want hij begreep hoe het haar leven op dit moment beheerste. Waar vond je nog zo'n man? vroeg ze zich glimlachend af. Ze veegde haar wangen droog en dacht aan het kindje in haar buik. Ergens had ze gelezen dat de hormonen je emoties konden beïnvloeden. Was ze daarom zo extra gevoelig voor oma's woorden? Ze wist het niet, maar het was ook niet belangrijk. Zolang zij oma's gevoelens kon voelen, was ze er zeker van dat het een goed boek werd en dat ze het zo opschreef als oma het gewild had.

Ze hoorde de brievenbus klepperen en opeens had ze haast. Vandaag kwam haar hoofdstuk in het tijdschrift. Hoofdstuk 6 had ze uitgekozen. Niet helemaal eerlijk misschien, want dat hele hoofdstuk was letterlijk door oma geschreven, maar het gaf wel weer waar het boek over ging en de sfeer die het uitstraalde. Zo snel mogelijk liep ze naar beneden, griste de post van de vloer en liep naar de huiskamer. Ze rukte het plastic van het tijdschrift en zag tot haar verrassing dat haar verhaal op het voorblad aangekondigd stond. 'Ontroerend hoofdstuk uit nog te publiceren boek van Fennique.'

Ze ging aan de eettafel zitten en met opgewonden, trillende vingers zocht ze naar haar verhaal. 'Ik gloei vanaf mijn tenen tot aan de punten van mijn haar' stond er in grote, dikke letters boven. "Oma," fluisterde ze zacht, "dat zijn uw woorden. Dat is wat Thom met u deed."

Ze dacht opnieuw aan Bart. Zo had ze zich ook gevoeld, de eerste keren dat ze vrijden, dat waren de mooiste keren geweest. Waarom voelde ze het tegenwoordig niet meer zo? Omdat ze het vanzelfsprekend vond dat hij er was? Omdat ze aan hem gewend was? Maar het moest ook vanzelfsprekend zijn! Zo had oma dat ook gevoeld. Vanzelfsprekend dat Thom naast haar lag. Vanzelfsprekend, maar niet gewoon. Voor oma was het steeds weer bijzonder geweest als ze Thom ontmoette. Zo zou het voor haar ook moeten zijn als ze Bart zag, als ze samen waren, vrijden. Maar vaak was ze met haar gedachten heel ergens anders. Ze genoot ervan, zeker, maar vaak dacht ze aan alle dingen die ze nog doen moest, een column schrijven, iemand interviewen, de wasmachine vullen, boodschappen doen. En dan was het opeens niet meer zo bijzonder. Ze zag in, dat dat niet goed was. Als ze vrijden, moest ze al het andere aan de kant zetten, dan moest ze alleen aan hem denken! Ze moest zich keer op keer bewust zijn van zijn liefde voor haar, haar hart ervoor open zetten en voelen dat hij haar nog steeds in brand kon zetten.

Nog voor ze de tekst begon te lezen, zocht ze haar mobiele telefoon op en stuurde ze een sms-je naar Bart. 'Ik hou van je, verlang naar je.' Glimlachend legde ze de telefoon opzij en begon haar eigen tekst te lezen, nou nee, die van oma Fenna, maar ze had nog geen twee regels gelezen of er kwam een sms-je terug van Bart. 'Ben onderweg,' stond er.

Wat? Meende hij dat? Kon hij zomaar weg van zijn werk? Nee, het was een grapje. Hij schreef het om haar te plagen, maar het was een lief bericht en met een lach op haar gezicht begon ze opnieuw aan de tekst die oma Fenna zo vlammend geschreven had.

Toch ging tien minuten later de achterdeur open en kwam Bart de kamer in.

"Ben je er echt?"

"Dat sms'te ik toch?"

"Ja, maar…"

"Dus je verwachtte me niet?"

"Nee, maar ik vind het wel heerlijk dat je er bent, want ik verlangde echt naar je."

"Is het boek af?"

"Helemaal niet. Nog een paar hoofdstukken, maar ik wou gewoon zeggen dat ik zo blij met je ben, dat ik van je houd, dat je zo veel voor me betekent, maar dat werd een te lang bericht en bovendien zeg ik je dat liever recht in je gezicht."

"Je bent lief," zei hij terwijl hij haar in zijn armen nam. "Hoeveel pauze heb je?"

Ze lachte verleidelijk. "Genoeg!"

Een half uur later knoopte ze haar bloesje en haar lange broek weer dicht. "Dit was echt verrassend. Hoe kon je zomaar weg?"

"Ik was niet op kantoor. Ik kwam net bij een klant vandaan en zou weer terug."

"Dus nu denken ze dat die klant je zo lang bezig heeft gehouden?"

"Nou en? Jij bent toch zeker ook een potentiële klant van mij?"

"Hoe bedoel je?"

"Je wilt vast nog wel een keer verhuizen en dan laat je mij dat huis weer tekenen."

"Natuurlijk!" Ze lachte, maar haar gezicht betrok.

"Wat is er?"

"Ach, nee, ik dacht aan de hoofdstukken die ik nog moet, maar ik wilde er niet aan denken zolang jij er nog was."

"Is daar dan wat mee?"

Ze knikte. "Tot nu toe ging het over oma, maar straks komt er een stukje en daar ben ik ook bij betrokken. Veel te nauw."

"Je bedoelt dat je moeder is overleden?"

"Precies." Ze keek hem warm aan. Hij had vaak genoeg aan een half woord. "Ik hou echt van je," zei ze met een warme blik in haar ogen.

"Heb je trouwens nog iets aan dat condoleanceboek gehad?"

"Nee, er stonden veel namen in die vader niet eens herkende.

Hij was geschokt eigenlijk zo veel mensen als erin stonden waar hij totaal geen contact meer mee heeft. In tien jaar kan je veel mensen kwijtraken in je vrienden- en kennissenkring."

"Dat klopt, maar geen Thom en Marijke?"

"Nee. Ik heb nog steeds twee adressen, maar vader kent die mensen niet. Dus ik moet nog een keer naar oom Ben. Zeg, mijn tekst staat erin." Ze trok hem mee de trap af en liet hem trots het tijdschrift zien.

"Op de voorpagina? Gefeliciteerd, meisje. Ik hoop dat je leuke reacties krijgt, maar nu moet ik echt weg." Hij drukte een vlugge kus op haar neus en haastte zich de kamer uit, naar buiten. Slechts een paar tellen later hoorde ze zijn auto starten en was hij weer weg. Haar ogen straalden. Ze voelde het. Dit was echt leuk geweest. Zo spontaan, zo lief en zo heerlijk!

Met het tijdschrift liep ze de trap weer op naar haar werkkamer. Ze keek haar aantekeningen door, maar was nog niet in staat om verder te schrijven aan haar boek. Ze had de juiste sfeer nog niet te pakken. Dus maakte ze verbinding met internet en keek ze of ze soms e-mails had. Met grote ogen zag ze ze binnenkomen. Twaalf nieuwe berichten! En allemaal van haar eigen hoofdredactrice. Bij een stond een uitroepteken en die las ze dus als eerste. 'Er heeft een uitgever gebeld voor het telefoonnummer van Fennique. Ik heb het hem niet gezegd, maar hier is het zijne. Zie maar wat je ermee doet.'

Een uitgever? Een uitgever? En wat stond er in die andere mails? Vol spanning opende ze ze en las ze de inhoud. Het waren allemaal mails die lezeressen naar de redactie gestuurd hadden en die de hoofdredactrice aan haar had doorgestuurd. Omdat ze allemaal over het hoofdstuk van oma Fenna gingen. In het kort kwam het erop neer dat alle lezeressen vroegen wanneer het boek uitkwam en waar het dan te koop was. De hoofdredactrice vroeg trouwens om het recht om het als eerste te mogen melden. Monique zat met rode wangen en trillende vingers en een hart dat sneller klopte dan ooit alle mails te lezen. Als de uitgever dit zag, terwijl het blad amper uit was, dan moest hij haar boek wel uitgeven. Ze lachte. Ze zou hem nog niet bellen. Hij was nog niet aan de beurt en wie weet kwamen er nog meer uitgevers die zichzelf aanboden. Dan kon ze ze tegen elkaar uitspelen. In elk geval moest het boek eerst af. Eerder ging ze met niemand onderhandelen, laat staan een contract ondertekenen.

En Thom moest gevonden worden. Dat vond ze ook belangrijk.

Ze pakte de telefoon en toetste het nummer van oom Ben in. Natuurlijk begreep ze dat hij op zijn werk zou zijn, maar tante Maria wist vast wel of hij die avond thuis zou zijn of niet.

"Dag tante, met Monique."

"Hallo, je bent maar druk met ons."

"Ja, dat komt door het boek dat ik schrijf." Even schaamde ze zich, want anders liet ze nooit veel van zich horen.

"Ben je er nog niet klaar mee dan?"

"Nee, een boek schrijf je niet in een week."

"Niet?"

"Ik niet," zei Monique opgewekt. "Zeg, zou ik vanavond even langs kunnen komen? Ik bedoel, is oom Ben dan thuis?"

"Hij is nu ook thuis. Ligt met griep in bed, maar je mag hem van mij best storen, want ik geloof niet zo in die griep."

"Denk je dat hij geen griep heeft?"

"Dat wel, maar niet zo erg als hij het voor doet komen. Mannen? Ze kunnen niets hebben," verzuchtte tante Maria.

"Dan kom ik. Zal ik sinaasappels meenemen?"

"Welja, verwen hem maar. Dat heeft hij echt niet verdiend!"

Monique lachte, verbrak de verbinding, ging naar buiten en stapte in haar auto. Via een bloemenwinkel waar ze een prachtig boeket kocht voor zowel tante Maria als oom Ben, kwam ze bij hen aan.

"Nou, nou, hij kon wel dood zijn," zei tante Maria.

"Lieve help, zo is het niet bedoeld!" Monique schrok van de opmerking. "Ze zijn trouwens meer voor jou dan voor hem, hoor."

"O, nou, bedankt. Ze zijn natuurlijk wel prachtig. Ik zal ze in een vaas zetten. Hij ligt boven in bed, eerste deur links."

Monique ging de trap op en vond haar oom met een rood hoofd en nat van het zweet in hun grote tweepersoonsbed.

"Monique," zei hij verward. "Wat doe jij hier nou?"

"Zal ik eens een nat washandje brengen om uw voorhoofd af te vegen?"

"Dat lijkt me heerlijk," zei hij. "Is Maria weg?"

"Nee, hoor. Die is beneden. Om eerlijk te zijn, kom ik niet op ziekenbezoek, maar om hulp vragen."

"Ben je nou nog met die dagboeken bezig?" Maar hij kreunde. "Mijn hoofd bonkt."

"Heb je al een paracetamol gehad?"

"Nee, tante Maria houdt niet van pillen."

"Maar die kunnen geen kwaad. Ik heb er wel een paar in mijn tas. Wil je die hebben?"

"Heb je die constant bij je?"

"Ja, je weet maar nooit. Hebben?"

Hij knikte en Monique liep naar de badkamer, maakte een washandje nat en vulde een beker met lekker koud water. Ze haalde het washandje over zijn gezicht en hij glimlachte. "Lekker koel, dankjewel." Hij kwam overeind om het tabletje in te nemen, daarna liet hij zich weer vermoeid zakken.

"Je hebt volgens mij koorts," zei Monique.

"Dat weet ik wel zeker, maar tante Maria vindt dat ik me aanstel. Nou, wat wilde je weten."

"Dat horloge van oma Fenna…"

"Wou jij dat hebben?"

Ze knikte.

"Alleen als je het draagt."

"Dat was dus precies de bedoeling."

Tante Maria kwam boven. "Hoe gaat het hier? Kan hij je helpen?"

"Oom Ben heeft koorts."

"Oom Ben kreunt altijd."

"Maar nu heeft hij koorts," hield Monique vol.

"Oké, haal ik de thermometer op." Ze verdween naar de badkamer en kwam al snel terug. "Deken omhoog, broek naar beneden," zei ze, maar haar ogen lachten.

"Ben je gek!"

Ze lachte hardop. "Oké, aansteller, stop hem maar onder je oksel. Wat is dat?"

Oom Ben was overeind gekomen en had een zakje uit het laatje van zijn nachtkastje gehaald. "Moeders horloge. Monique zei dat zij het wel wilde dragen."

"Dan moet je het haar geven."

"Dat was ik juist van plan."

Monique nam het met trillende vingers aan en sloot het om haar pols. "Nu weet ik eindelijk altijd hoe laat het is," zei ze lachend en veegde snel de traan weg die over een wang gleed. Uit haar tas haalde ze oma's adressenboekje. "Nog twee, oom Ben en dan ben ik weer weg. Joke en Mark uit Utrecht en Ria en Johan uit Amsterdam."

Oom Ben schudde zijn hoofd. "Zegt me echt totaal niets." Hij dacht diep na. "O ja, die Joke en Mark waren niet op de begrafenis, want ik herinner me dat ze een kaart gestuurd hadden. Ik heb hen een bedankkaart teruggestuurd. Ik vroeg me af hoe moeder aan kennissen in Utrecht kwam, maar dat andere stel ken ik echt niet."

"Ik wel. Ik heb met die Ria gesproken na de begrafenis."

"Echt waar?" Monique schoot overeind. "Hoe oud was ze?"

"Een jaar of zestig, denk ik."

"Zestig?" Monique keek haar teleurgesteld aan.

"Ja, zo precies weet ik dat niet, maar ze was een vroegere collega van oma, van dat kantoor waar ze gewerkt heeft en ze hebben elkaar alle jaren met kerst een kaart gestuurd. Meer contact hadden ze niet, omdat zij naar Amsterdam verhuisd waren, maar dat zijn dus Ria en Johan."

"En dan komen ze naar de begrafenis?" Monique vond het maar vreemd.

"Ja, dat vond ik ook opvallend. Ik dacht, was dan gekomen toen ze nog leefde. Tijd genoeg gehad, immers, maar ze zei dat die dag haar moeder jarig was en die woonde nog steeds in Enkhuizen, vandaar dat ze even naar de begraafplaats gekomen was en een kopje koffie bleef drinken."

"Dus eigenlijk meer om haar nieuwsgierigheid te bevredigen en de nieuwste roddels te horen," zei Monique.

"Ik denk het."

"Goed, die vallen dus af. Blijven Joke en Mark over. We komen er wel." Monique lachte en stond op. "Ik zal je niet langer storen. Beterschap."

"Ja, wacht even, nu weet je het belangrijkste nog niet!"

"Het belangrijkste?" Monique bleef geïnteresseerd staan, maar schoot in de lach toen ze zag dat oom Ben de thermometer onder zijn oksel vandaan haalde. "Zie je wel," lachte hij triomfantelijk. "Ik heb koorts. Zevenendertig komma negen!"

# 29

# Hoofdstuk 19

De wereld zag er opeens een stuk helderder voor Fenna uit. Alsof ze een andere bril had opgezet, een scherpere. Alsof er een druk in haar hoofd was weggenomen en de mist van de afgelopen jaren opgetrokken was. Het verbaasde haar, maar het gevoel was welkom. Natuurlijk dacht ze nog dagelijks aan Thom, maar ze werd niet meer verteerd door verlangen. Ze voelde zich goed en dat was aan haar te zien.

"Moeder, u hebt een geheim voor mij," zei Laura op een dag.

"Ik?" Fenna keek haar verward aan. Wat bedoelde ze?

"Ja, u hebt een vriend."

Fenna kleurde en Laura schoot in de lach. "In een keer raak geschoten," zei ze vrolijk. "Leuk voor u. Hoe heet hij?"

"Wie bedoel je?" Fenna wist niet wat ze zeggen moest. Hoe was Laura erachter gekomen? Al die jaren hadden ze zo voorzichtig gedaan en nu het voorbij was, wist Laura het toch.

"Doe maar niet zo schijnheilig," zei Laura lachend. "Ik zie het aan u. U bent anders, vrolijker, blijer. Uw ogen staan beter, helderder."

"Je vergist je. Ik begin eindelijk aan mijn nieuwe leven te wennen."

"Nieuwe leven?"

"Ja, als gepensioneerde."

"Maar dat bent u al drie jaar."

"Ik vond het moeilijk, maar nu heb ik mijn dagen weer lekker gevuld en daar ben ik blij om."

"Dus u hebt geen vriend?"

"Nee," zei ze.

"Jammer, want ik gun het u van harte."

"Dat is lief, meisje, maar ik vermaak me zo ook wel. Een vrouw van gymnastiek, Ingrid, vroeg of ik met haar op vakantie wil en ik heb ja gezegd."

"O, leuk! Wanneer en waar naartoe?"

"Dat hebben we nog niet afgesproken. Ik ga ook met de Engelse groep, net als elk jaar, dus ik denk dat Ingrid en ik pas in het voorjaar gaan. Dan zijn de reizen niet zo duur."

"Lieve help, moeder toch. Vroeger ging u nooit en nu twee keer per jaar."

"Ja, ik wil graag nog wat van de wereld zien en zolang ik me gezond voel."

"Groot gelijk! Maar hebt u daar wel tijd voor?"

"Ik heb tijd over. Die kinderen van jou redden zich wel. Je hebt me haast nooit meer nodig als oppas en bij de krant hebben ze me ook steeds minder nodig door de komst van de computers. Ik weet niet hoe die dingen werken. Ik heb liever een gewone ouderwetse typemachine, maar die hebben ze weggedaan. Ik mag nu alleen de fouten er nog uithalen en dat is in een morgen gedaan."

"Jammer, maar u zou het toch nog kunnen proberen?"

"Wat? Met een computer omgaan?" Fenna lachte. "Nee, daar heb ik geen zin meer in. Daar voel ik me nu toch wel te oud voor."

Laura keek haar moeder onderzoekend aan. "Dat heb ik u nog nooit horen zeggen."

Fenna glimlachte. "Het was leuk om steno en typen te leren, maar daar kon ik dan ook wat mee doen op kantoor. Ik hoef echt niet meer met die nieuwe dingen mee te gaan. Dan ga ik toch maar liever een keertje extra op vakantie. Naar wat voor school gaat Monique eigenlijk als ze straks van de lagere school af is?"

"Basisschool, heet dat nu, moeder en ze gaat naar de havo."

"Is dat hetzelfde als mulo?"

"Zoiets ja."

"Zie je, ook daar word ik te oud voor," zei Fenna glimlachend. "Ik kan dat allemaal niet meer bijhouden. Maar nou jij, ga jij ook weer werken als allebei je kinderen naar het vervolgonderwijs gaan?"

"Nee, dat was ik niet van plan." Laura keek lichtelijk verbaasd,

"Vind je het een rare vraag?"

"Eigenlijk wel. Ik vermaak me prima zo en er blijft genoeg te doen als de kinderen naar de middelbare school gaan."

"Dat zeg ik ook niet, maar ik dacht dat je het misschien leuk vond."

"Nee, niet echt. Ik zit in allerlei verenigingen en ik doe veel vrijwilligerswerk. Ik vind het best zo en Roel verdient genoeg."

"Daar gaat het ook niet om. Het gaat erom dat je jezelf verder ontwikkelt, andere dingen doet."

Laura keek haar moeder hoofdschuddend aan. "Te oud om te leren met computers om te gaan, maar ver voor op haar tijd."

"Hoe bedoel je?"

"Dat u wel ging werken toen vader overleden was en wij de deur uit."

"Ik ben zo blij dat ik dat gedaan heb, maar ja, toen waren jullie echt al de deur uit en dat zijn Peter en Monique nog lang niet."

"Precies."


Fenna ging inderdaad het voorjaar daarop met Ingrid op vakantie. Ze hadden een rondreis per bus door Zuid-Spanje uitgekozen en het beviel zo dat ze afspraken om dat het jaar daarop weer te doen. Fenna genoot erg van zulke uitstapjes. Ze genoot trouwens van haar hele leven. Natuurlijk miste ze Thom en ze dacht elke dag aan hem, maar het verscheurde haar niet meer, maakte haar niet meer somber. De gedachte aan hem gaf haar eerder een warm en goed gevoel en stimuleerde haar meer uit het leven te halen.

Ze belden ook weer wat vaker met elkaar, omdat Fenna beter in staat was normaal met hem om te gaan en gewoon te vragen hoe het met hem en Marijke ging, want dat wilde ze natuurlijk nog steeds heel graag weten. Hij bleef haar ook cadeaus sturen op haar verjaardag en met Sinterklaas en nog steeds met een mooie kaart erbij en een lieve tekst, maar ze zagen elkaar niet meer. Ze wist dat ze hem daar verdriet mee deed, vooral nu hij geen werk meer had en alle dagen met Marijke op moest trekken, maar ze kon niet anders. Heel soms, als ze zijn stem hoorde, voelde ze medelijden met hem. Medelijden, omdat hij ongelukkig was met de vrouw met wie hij leefde. En dan vroeg ze zich af of ze elkaar heel misschien toch... Maar ze deed het niet, want ze wist dat ze er zelf ongelukkig van zou worden. Op deze manier had ze rust in haar leven. Te weten dat hij er was en van haar hield, daar kon ze blij om zijn, dat maakte haar gelukkig, maar de hartstocht die ze voelen kon als ze bij elkaar waren, die mocht niet opnieuw oplaaien zolang Marijke er nog was. En dus stelde ze nooit meer voor hem nog eens te ontmoeten. En dus zei ze altijd nee, als Marijke nog eens vroeg of ze langs wilde komen. Soms voelde ze zich daarover schuldig naar Thom toe, alsof ze hem in de steek liet, maar soms ook werd ze boos op hem. 'Ga dan ook bij haar weg,' dacht ze dan in stilte. 'Kom eindelijk eens voor jezelf op!' Maar ze wist dat hij zo niet was. Hij maakte af waar hij aan begonnen was, zelfs al betekende het dat hij er ongelukkig door was.

Hij klaagde ook nooit. Hij droeg zijn leven met waardigheid, maar Fenna wist, dat hij niet gelukkig was en nog steeds naar haar verlangde. Ze las het in de woorden die hij haar schreef als hij haar een cadeau toestuurde, ze hoorde het in de klank van zijn stem als ze elkaar aan de telefoon hadden. Het speet haar ongelooflijk dat ze niet meer voor hem kon betekenen, maar ze moest kiezen tussen haar eigen rust of zijn geluk en ze had voor zichzelf gekozen. *Het is wat cynisch, want jij hebt me geleerd voor mezelf op te komen en dat doe ik nu. Voor mij is het beter zo, al weet ik hoe moeilijk jij het ermee hebt. Maar we hebben onze herinneringen, mijn lief. Die neemt niemand ons meer af. En ooit zei je me dat ik altijd bij je ben, altijd, elke dag op elk moment. Als je met haar op vakantie bent, ben ik het die naast je zit. Als je iets ziet wat je mooi of indrukwekkend vindt, ben ik het aan wie je dat vertelt. Ik woon in je hart. Je leeft door mij.*
*Zo is dat hier ook, Thom, want waar ik ook kijk, zie ik je ogen. Het is alsof ze op mijn netvlies gebrand staan. Eerst zie ik jouw ogen, met die oneindig warme blik. Zoals jij naar mij kunt kijken, de liefde die daaruit spreekt, het verlamt me bijna van geluk en er zijn dagen waarop ik de hele*

*tijd jouw ogen zie en dwars door je ogen de rest van de wereld, de weg waar ik op rijd, de huizen aan de overkant, de kat van de buren in mijn tuin. Eerst jouw ogen en dan pas de rest en het voelt alsof de warmte in jouw ogen me beschermt tegen alles wat van buiten komt. Wat ik ook zie, ik zie eerst jouw warmte en jouw liefde, en dat geeft de wereld voor mij glans. Op die manier kan ik toch gelukkig zijn, omdat alles er vol liefde uitziet. Voor mij is het goed zo, Thom. Voor mij is het meer dan goed.*

# 30

## Hoofdstuk 20

In 1993 werd Laura 50 en Fenna 75. Ze besloten er samen een geweldig weekend van te maken en huurden huisjes in een vakantiepark in Brabant in de buurt van Fenna's geboortedorp. Ze gingen allemaal mee. Laura en Roel met hun kinderen en Ben en Maria met hun kroost. Sommigen hadden al verkering en namen hun vriendje of vriendinnetje mee. Monique was toen twintig en er heilig van overtuigd dat ze de rest van haar leven met dat vriendje door zou gaan, maar later bleek dat dat een vergissing was.

De zaterdag van dat weekend reden ze achter elkaar aan naar de boerderij waar oma Fenna geboren en opgegroeid was. De kleinkinderen keken hun ogen uit. Ze waren er wel eens geweest toen ze nog heel klein waren, maar daar wisten ze niets meer van. Hun overgrootouders waren immers al zeventien jaar dood.

"Waar zat opa Kees dan verstopt, toen het oorlog was?" vroeg Peter geïnteresseerd.

Fenna lachte. "Hij was niet echt verstopt, maar hij woonde in de stallen bij de koeien. Hij sliep op de hooizolder en als er vreemden kwamen, zat hij daar ook."

"En soms kroop u bij hem in het hooi," zei Monique lachend.

"Inderdaad, ja." Fenna keek haar ernstig aan. "Het was geen mooie tijd. We waren altijd bang dat iemand erachter zou komen dat Kees bij ons was. Hij mocht alleen 's avonds in het donker vrij rondlopen op het erf en overdag moest hij bijna altijd binnen blijven en als hij al naar buiten moest, moest hij een pet op, zodat hij niet goed herkenbaar was en hij mocht alleen maar werken op velden die niet te dicht bij de buren waren."

"Omdat u die niet vertrouwen kon?"

"Zo was dat. Je wilde ze wel vertrouwen, maar je kon het niet meer. Op een dag was er een inval op de boerderij van mijn vriendin. Daar pakten ze vier onderduikers op. Niemand is er ooit achter gekomen hoe ze wisten dat die daar zaten. Het was een angstige tijd."

"Mogen we die zolder zien?" vroeg Monique opgewekt.

"Ik weet niet wat de huidige bewoners ervan vinden en bovendien zal de stal wel gemoderniseerd zijn en valt er niets meer te herkennen."

Ze vroegen toestemming om toch een kijkje te mogen nemen en Fenna werd even overweldigd door de herinneringen die haar zo plotseling bestormden. De angst van de oorlog, de vlucht in Kees' armen, de dag waarop ze niet ongesteld werd en zwanger bleek, hun huwelijk dat in het geheim gesloten werd door een bevriende ambtenaar van de burgerlijke stand, het gehoon van buurtgenoten omdat ze in hun ogen een ongetrouwde moeder was. "Voordat de oorlog uitbrak, was het hier mooi en vredig. De oorlog heeft veel kapot gemaakt," zei ze met een weemoedige blik in haar ogen.

"Maar u hebt er toch twee prachtige kinderen aan overgehouden," vond Monique.

"Precies! Daar ben ik nog alle dagen blij om." Fenna keek haar dochter warm aan. "Het waren vijftig prachtige jaren. Wat had ik zonder hen gemoeten?!"

"Woont die vriendin hier nog?" vroeg Laura.

"Welke?"

"Die van die inval."

"Dat weet ik niet, hoor. Toen we naar Vlaardingen verhuisden, hebben we alle contacten verbroken. Natuurlijk kwam ik hier nog wel met jullie, maar dan was ik alleen bij mijn ouders. Op de een of andere manier had ik geen behoefte meer aan de mensen uit de omgeving."

"Maar dat is toch raar?"

"Raar?" Fenna keek haar dochter meewarig aan. Ze zuchtte. "Als je uitgescholden bent voor hoer, voor slet, dan heb je geen behoefte meer aan contacten. Ik kwam hier alleen nog voor mijn ouders en vooral om de stad te ontvluchten, niet om vroegere kennissen te zien."

"Dus u hebt hier verder niets meer?"

"Nee, maar ik zou wel heel graag even naar de begraafplaats gaan om naar het graf van mijn ouders te kijken."

Dat deden ze. Ze kochten eerst bloemen en brachten die toen naar het graf. "Gek," zei Fenna. "Vandaag ben ik 75 geworden en ergens voel ik me nog steeds zo vitaal, terwijl mijn ouders er in mijn ogen hun hele leven oud uitgezien hebben. Ze zijn 82 en 83 geworden."

Even was iedereen stil, want niemand kon zich voorstellen dat oma Fenna er over zeven of acht jaar niet meer zou zijn. Monique stak haar arm door die van haar oma. "U wordt zeker 100," zei ze zacht.

"Daar hou ik je aan," zei Fenna glimlachend. *Ook op dat moment was je bij me, mijn lief en ik hoopte dat Monique gelijk zou hebben en dat jij en ik toch nog een paar jaar samen mochten zijn. Misschien allebei met een rollator, misschien allebei te oud om nog te beminnen, maar niet te oud om naar elkaar te kijken, elkaars handen vast te houden en toch nog echt, intens gelukkig te zijn.*

"Hebt u een binnenpretje?"

Fenna keek haar vrolijke kleindochter aan. "Ja, ik zag mezelf opeens in een bejaardentehuis zitten en naar buiten strompelen met mijn rollator omdat ik zo graag nog een beetje van de frisse lucht wilde genieten."

"Oma, u blijft altijd huppelen. U hebt nooit een rollator nodig."

"Ook daar hou ik je aan," zei ze opnieuw glimlachend.

Ze liepen terug naar hun auto's.

"Oma?" Monique was zo heerlijk jong nog en zo enthousiast.

"Ja, meisje."

"Wilt u me niet vertellen hoe het was in de oorlog? Ik zou er zo graag over schrijven."

"Over schrijven?"

"Ja, ik zit toch op de journalistenschool en ik zoek steeds nieuwe onderwerpen om een artikel over te schrijven."

Fenna keek haar bedenkelijk aan. "Het was geen mooie tijd,"

herhaalde ze.

"Daarom juist. Dat mogen we niet vergeten! Daar moeten we aan blijven denken, zodat we niet opnieuw oorlog krijgen."

Fenna keek haar warm aan. "Zo was je vroeger ook al. Als tienjarig meisje kon je je er al over opwinden dat er kinderen waren die honger leden."

Maar een artikel kwam er niet. Hoewel Fenna het niet erg gevonden had om over haar angsten te praten en over de armoede, de kleren van keukengordijnen, ze wist dat ze dan ook zou vertellen over waarom ze in Kees' armen gevlucht was en dat Monique erachter zou komen dat ze nooit echt van haar opa gehouden had en dat wilde ze Laura en Ben niet aandoen. Kees was goed voor hen geweest, ze wilde hem geen trap nageven en ze was het immers zelf geweest die bij hem op de hooizolder was gekropen!

Het werd echt een geweldig weekend, waar iedereen nog lang over napraatte. Ze bleken een hechte familie te zijn en de band werd er nog hechter door. Ze gingen uit eten en toerden rond en genoten van het Brabantse landschap. Er werden veel foto's genomen, waar nog vaak naar gekeken werd en Monique stelde voor dat ze het tien jaar later over zouden doen. Als moeder Laura 60 werd en oma Fenna 85.

"Zullen we het niet iets eerder doen?" vroeg Fenna lachend. "Monique, jij hebt je leven nog voor je. Voor jou is tien jaar niets, maar of ik de 85 haal…"

Waar echter niemand op gerekend had, dat was dat Laura de 60 niet zou halen.

# 31

Monique bladerde in het fotoalbum van haar moeder. Ze was blij dat ze het meegenomen had nadat ze naar de foto's van oma Fenna's 25-jarige huwelijksfeest had gezocht. Nu kon ze ook naar de foto's van het feest kijken ter ere van haar moeders 50$^e$ verjaardag. Ze zag er zo goed uit, zo mooi, zo jong nog, maar ze werd niet ouder dan 53. "Moeder," fluisterde ze, terwijl ze met haar vingers over de foto's gleed en zich haar moeders glimlach en warme blikken herinnerde.

Ze was altijd zo belangstellend geweest en zo trots op haar dochter. Ze was zo'n lieve moeder geweest, die altijd thuis was als ze uit school kwam, ook toen ze naar de school voor journalistiek ging. Ze was naar de diploma-uitreiking geweest en ze hadden er thuis een groot feest van gemaakt. Maar ze was niet op Moniques huwelijk geweest en ze zou nooit haar eerste kleinkind in haar armen kunnen sluiten.

Monique voelde dat de tranen kwamen. "Moeder, ik mis je," verzuchtte ze. "Juist nu ik zwanger ben zou ik zo graag met je willen praten. Hoe voelde jij je, toen je van mij in verwachting was? Was je net zo blij?" Natuurlijk was ze dat. Wat een vraag. Ze wist immers hoeveel haar moeder van haar gehouden had. Toch zat haar nu iets dwars. Ze greep opnieuw naar het laatste dagboek van oma Fenna en las aandachtig door wat er geschreven stond en ze realiseerde zich hoe egoïstisch ze geweest was.

De eerste weken, maanden na het overlijden van Laura had Roel er geen woord over willen horen. Hij trok zich terug en wilde met niemand praten. Ook Peter wist niet hoe hij zich moest uiten en Monique, die er juist wel veel over praten wilde, kon alleen maar bij oma Fenna terecht. Uren had ze bij haar gezeten, huilend, pratend over wie haar moeder geweest was en vaak ook kwaad, omdat ze zo ruw uit het leven gerukt was. Een dronken automobilist had haar overreden. Gelukkig was ze op slag dood, want anders had ze veel pijn gehad. Het was een afschuwelijk ongeluk en op slechte dagen kon Monique vreselijk te keer gaan tegen die man die ze nooit ontmoet had en altijd, altijd was oma Fenna er geweest. Ze had haar opgevangen, gesteund, getroost, gekalmeerd. Nu pas begreep Monique dat het voor oma een nog veel grotere klap geweest moest zijn en dat het erger was je kind te verliezen dan je moeder.

*Het is zo onnatuurlijk, dat je het niet bevatten kunt. Altijd ga je ervan uit, dat jij als eerste gaat, nooit je dochter. Je denkt dat zij aan jouw graf staat, maar je denkt nooit andersom. Alles wat goed was in mijn leven, alles is nu zwart, zo zwart. Het liefst van alles wilde ik haar achterna, want het is onverdraaglijk te weten dat ik nooit meer in haar ogen kijken kan.*

Monique wreef haar ogen droog en probeerde verder te lezen. Natuurlijk had ze deze tekst al eerder gelezen, maar nu pas drong alles ten volle tot haar door. Ze was egoïstisch geweest, had alleen aan zichzelf gedacht. Ze had zich aan oma vastgeklampt, zonder haar de kans te geven te rouwen. Ze had zich als een klein kind gedragen, terwijl ze toch 23 was. "Oma, het spijt me zo," fluisterde ze zacht terwijl haar ogen over de regels gingen. *Voor Monique moet ik blijven. Laura, als jij je taak hier op aarde niet af kunt maken, moet ik die van je overnemen.*

Monique keek op. Geen woord van verwijt naar Monique toe, geen klacht over de zware last die ze toch geweest moest zijn. Nee, oma Fenna ging kapot vanbinnen, maar voor Monique was ze er. Oma was een sterkte vrouw geweest, tot op de dag van haar dood. Haar man verloren toen ze amper 50 was, haar ouders in heel korte tijd en toen haar 53-jarige dochter. Daarnaast hield ze van iemand die ze niet hebben mocht

Bibberend kwam Monique overeind. Het greep haar aan. Ze voelde haar verdriet om haar moeder opeens zo sterk en om oma, die niet veel vreugde gekend had. Het gedichtje, dat zo overduidelijk was:

*zo ver*
*is het licht*
*ongrijpbaar ver*

*vanuit deze*
*diepe*
*put*
*en hoog*

*ik kan*
*er niet bij*

Toch had oma altijd iets opgewekts uitgestraald, zo lang Monique zich kon herinneren en altijd kon ze vertellen over de mooie dingen uit haar leven, het geluk dat ze twee kinderen gekregen had en daarna kleinkinderen, de talen die ze geleerd had en de banen die ze gehad had. Ze was toch weer uit die put gekrabbeld. Omdat ze moest. Voor mij, dacht Monique. Voor mij was ze er weer uit gekrabbeld en ik heb me nooit eerder gerealiseerd hoe zeer oma zichzelf had weggecijferd om er voor mij te zijn.

"Daar moet je je niet rot om voelen," zei Bart toen ze het hem 's avonds tijdens het eten vertelde. "Oma heeft daardoor ook een grote steun aan jou gehad. Goed, ze moest sterk zijn voor jou, maar daardoor is het haar gelukt haar hoofd boven water te houden. Wie weet hoe ver ze anders was afgezakt. Ik denk dat we juist blij moeten zijn dat jullie zo naar elkaar toetrokken, anders waren jullie misschien wel allebei verdronken in die bodemloze put."

Monique knikte haar man dankbaar toe. "Misschien heb je wel helemaal gelijk."

"Maar er is nog wat."

"Ja. Beloof je dat je me niet uit zult lachen of boos op me zult worden?"

"Oeps, wat is er aan de hand?" zei hij lachend

"Het is heel ernstig, Bart."

Hij ging er rechtop voor zitten en keek haar vragend aan.

"Ik heb het adres gevonden van die man, die moeder overreden heeft."

Zijn ogen werden groot. Waar was Monique op uit? "En?"

"De politie vertelde ons toen dat hij ons wilde ontmoeten, maar vader zei dat hij hem zou vermoorden als hij in de buurt kwam. Later hebben we een brief van hem gekregen. Het speet hem zo, schreef hij. Hij kon het nooit meer goed maken, maar hij wou toch schrijven dat zijn leven ook kapot was. Vader heeft die brief in stukken gescheurd en verbrand, maar oma heeft zijn adres genoteerd in haar dagboek."

"Ja en?"

"Ik wou hem eigenlijk wel eens ontmoeten."

"Na al die jaren?"

"Ja, want diep van binnen kan ik nog zo kwaad op hem worden. Dan scheld ik hem uit en zou ik hem willen schoppen en nu ik alles gelezen heb wat oma geschreven heeft, geloof ik dat ik het die man zou moeten vergeven."

"Vergeven? Een dronken automobilist?"

"Ja. Het was zijn eigen stomme schuld dat hij te veel gedronken had, maar het is natuurlijk nooit zijn bedoeling geweest iemand dood te rijden."

"Maar vergeven?"

Monique haalde haar schouders op. "Misschien is dat een groot woord. Ik weet ook niet of ik het kan, maar ik zou met hem willen praten en ik wil dat jij mee gaat."

"Natuurlijk ga ik mee, maar weet je het wel zeker?"

"Ja. Het zal wel gek lijken, maar ik heb het gevoel dat moeder dat van me wil."

"Jouw moeder of oma?"

"Ik weet het niet, Bart. Ik voel me raar, maar ik wil het."

"Dan doen we het. Waar woont die man?"

Ze was verrast door zijn voortvarendheid. Hij zag het en glimlachte. "Liefste, je bent in verwachting. Dat is geen tijd om somber te zijn. Dus alle sombere dingen moeten zo snel mogelijk de wereld uit geholpen worden."

"Hij woont in Medemblik. Toen tenminste."

"Dan gaan we naar hem toe. Wou je eerst nog een toetje of zit je buik vol?"

Ze schoot in de lach. "Ja, mijn buik zit vol en dat zal nog wel zo'n 7,5 maand zo blijven."

"Je bent lief." Hij stond op en bracht de borden en het bestek naar de keuken, vulde de afwasmachine, ruimde het aanrecht op en kwam de kamer weer in. "Klaar?"

"Ik wel."

"Mooi, dan gaan we."

Medemblik was net een kwartier rijden, maar het duurde ook een kwartier voor ze het adres gevonden hadden. Het was een gewone straat met links en rechts rijtjeswoningen. Kleine, keurige tuintjes ervoor.

"Ze zullen wel schrikken," zei Monique.

"Dat denk ik ook, maar als je eerst gebeld had, waren ze ook geschrokken."

Ze liepen op de voordeur af. De naam die onder de bel stond, was de naam die Monique in oma's dagboek gelezen had en die ze destijds nooit geweten had.

Er deed een vrouw open van een jaar of 50. Ze keek hen vragend aan.

Monique haalde diep adem. "Dag," zei ze zo opgewekt mogelijk. "Ik ben Monique, de dochter van Laura…"

"Eindelijk," zei de vrouw met verstikte stem. "Eindelijk! Kom binnen."

Monique keek Bart angstig aan. Wat bedoelde de vrouw. Wist ze echt wie ze was? Bart legde zijn hand op haar rug en duwde haar naar binnen.

"Man, dit is de dochter van Laura…," zei de vrouw hulpeloos toen ze de kamer inkwamen.

De man vloog overeind uit de stoel. Hij zag er oud uit, heel wat jaren ouder dan zijn vrouw. Zijn ogen stonden flets, zijn gezicht was diep gegroefd. Hij keek haar aan, maar wist niet wat hij moest zeggen.

"Ga zitten," zei de vrouw en wees naar de bank. Monique en Bart namen naast elkaar plaats.

"Tien jaar is het nu," zei de vrouw. "Volgende maand precies tien jaar."

Dus ze wisten wie ze was. Na al die jaren was een naam voldoende om alles weer naar boven te brengen.

"Ik heb een brief gestuurd," zei hij zacht.

"Hoe is het met u?" vroeg Monique.

Hij zuchtte en keek haar triest aan.

"Hij is er nooit meer bovenop gekomen," zei zijn vrouw. "Zijn hele leven is erdoor veranderd."

"Ik heb nooit meer een druppel alcohol gehad," zei hij.

"Dat klopt. Hij was er meteen vanaf, maar hij was zo kapot, dat hij niet meer kon werken. Hij werd er ziek van en hij werd uiteindelijk arbeidsongeschikt verklaard. Gelukkig had ik ook werk en dat heb ik nog, maar hij heeft nooit meer gelachen. Hij rijdt ook nooit meer auto. Hij kan het niet meer. Hij is zo bang!"

Monique keek van de vrouw naar de man. Haar hart sloeg in haar keel. Haar vader lachte wel en zelf lachte ze vaak genoeg. Dit had ze nooit verwacht!

"Vijf jaar geleden is haar moeder geweest. Laura's moeder."

"Oma Fenna?" Monique zette grote ogen op. Daar had ze niets over gelezen.

"De moeder van Laura. Daar waren we ontzettend blij om. We hebben fijn gepraat en daarna is het toch wat beter gegaan met mijn man en hij werkt tegenwoordig ook weer, maar het heeft een enorm stempel op ons leven gedrukt."

"Ik hoor het. Ik ben er stil van," zei Monique. "Ik weet even niets te zeggen."

"Zal ik koffie zetten?" vroeg de vrouw.

"Nee, nee," zei Monique.

"Toe, alsjeblieft, blijf nog even."

Monique knikte. "Maar geen koffie. Geef maar gewoon kraanwater."

"Waarom? Denk je dat onze koffie niet goed is?"

"Wat is dat nou voor een opmerking?" vroeg Monique. Hun ogen ontmoetten elkaar en ze keken elkaar een poos zwijgend aan. Monique zag hoe bang de vrouw was voor Monique. "Ik kom niet om jullie iets te verwijten," zei Monique uiteindelijk. "Ik kom om te praten. Ik dacht dat het voor ons allebei goed zou zijn. Ik ben zo vaak woest op u geweest." Ze keek de man aan. "Zo ontzettend woest. Als oma er niet geweest was, was ik hier misschien wel eerder geweest, maar niet om te praten." Ze lachte. "Ik ben in verwachting en koffie smaakt me niet. Daarom graag kraanwater."

"O." De vrouw kleurde en haastte zich naar de keuken.

"Hoe is het met je oma?" vroeg de man.

"Oma is vorige maand overleden. Ze is 88 geworden. Ik vond uw adres in haar dagboek."

"Ik ben zo blij dat je er bent. Je mag schelden, echt wel, maar geef mij de kans om een keer recht in je gezicht te zeggen, dat het me zo vreselijk spijt. Ik kan er geen woorden voor vinden hoe zeer het me spijt. Als ik had kunnen ruilen had ik het gedaan. Dan had ik zo mijn leven gegeven om haar in leven te houden. Het spijt me zo verschrikkelijk."

"Dat geloof ik," zei Monique. Haar ogen werden vochtig. "Dat geloof ik echt."

De vrouw had de laatste woorden gehoord, maar stapte nu verder de kamer in. Ze zette water neer voor Monique en koffie voor Bart. Ze bood koekjes aan die Monique niet durfde weigeren al had ze net gegeten. Ze keek de man aan. "Toen moeder overleden was, zei iedereen tegen mij en mijn broer en mijn vader: Het leven gaat verder, jullie moeten door. En dat is ook zo. Het lijkt wel of de wereld vergaat en stilstaat, maar het leven gaat verder en op een gegeven moment zijn wij ook weer verder gegaan met leven. Ik ben vorig jaar getrouwd." Ze legde even haar hand op die van Bart. "En volgend jaar krijgen we dus een kind. Mijn broer heeft een leuke vriendin. Mijn vader heeft plezier in zijn werk. We lachen regelmatig en genieten regelmatig. Dat moet u ook weer doen. Ook voor u gaat het leven verder."

Hij schudde ontkennend zijn hoofd. "Op die dag is mijn leven stil blijven staan."

"Maar zei oma Fenna dan niet dat u door moest gaan met leven?"

"Dat wel, maar ik kon het niet."

"Maar het moet," zei Monique. "Wij gaan ook verder. U moet."

"Het is mijn schuld en dat is nooit meer goed te maken."

Ze keek hem aan en opeens sprak ze de woorden, waar hij duidelijk op zat te wachten. "Ik vergeef het u."

Zijn ogen schoten vol. Hij begon als een kind te huilen. Bart sloeg zijn arm om Monique heen en de vrouw zat stil voor zich uit te kijken. Monique stond op. Dit werd haar te veel. Ze stapte op de man af. "Ik ga naar huis. Voor mij is het ook emotioneel, maar ga alsjeblieft weer leven." Ze stak haar hand naar hem uit en hij greep die zo stevig beet, dat ze haar trouwring in haar vingers voelde drukken, maar ze glimlachte naar hem. "Sterkte," zei ze. Ze glimlachte naar de vrouw en liep toen het huis uit. Ze stapten in de auto. "Rij," zei ze tegen Bart. "Rij!"

Verbaasd haastte hij zich de auto te starten, maar toen ze de bocht om waren, riep ze: "Stop. Ik moet eerst huilen en je armen om me heen voelen, maar dat hoefden zij niet te zien, toch?"

# 32

"Had jij dit verwacht?" vroeg Monique, terwijl ze haar hoofd tegen Barts schouder liet rusten.

"Nee, totaal niet. Het is tien jaar geleden. Ik vond het vreemd dat die vrouw meteen wist wie Laura was. Ik kon me niet voorstellen dat ze doorhad wie jij bedoelde."

"Maar het was toch zo." Ze sloot haar ogen. "Ik ben ontzettend blij dat ik geweest ben. Lieve help, die mensen zitten nog in de put en wij leven gewoon verder."

"Het komt misschien omdat hij echt schuld had aan het ongeluk. Hij had niet alleen gedronken, hij kwam ook nog eens van links. Het was helemaal zijn schuld. Een collega van mij heeft ook een keer..." Hij zweeg.

"Wat?"

"Ach, ik wou het niet nog triester maken dan het was."

"Wat dan?"

"Die heeft ook een keer iemand aangereden. Gelukkig heeft die man het overleefd, maar daarbij was het ook nog eens de schuld van die man zelf. Toch heeft het mijn collega meer dan een jaar gekost om er bovenop te komen. Hij durfde nooit te gaan slapen, want dan droomde hij van het ongeluk en hij had niet eens schuld."

"Deze man wel dus en dan kan dit het gevolg zijn." Monique was stil. Bart streelde haar arm.

"Waarom weet ik dat eigenlijk niet, Bart, van jouw collega?"

"Het gebeurde voordat ik er kwam werken. Ooit heeft een andere collega me dat verteld. Ik wou er toen niet over praten, omdat ik bang was dat je er verdrietig van zou worden en je kende hem niet eens."

"Ik moet dit aan vader vertellen."

"Dat lijkt me wel, ja."

"Maar nu niet. Nu moet ik het eerst laten zakken."

"Oké, dan rijden we naar huis. Mag ik?" Lachend probeerde hij zijn arm vrij te maken om de auto te starten.

"Ja, toe maar," zei ze glimlachend. Ze zuchtte, maar voelde dat het echt een zucht van opluchting was. "Ik ben blij dat ik gegaan ben."

Ze reden zwijgend, maar Bart kreeg een terrasje in de gaten. "Zullen we daar even gaan zitten?"

"Graag. Ik kan vanavond toch niets meer schrijven."

"Moet je nog veel?"

"Nee, een hoofdstuk of drie, vier, schat ik."

Hij parkeerde en ze stapten uit, gingen in het licht van de ondergaande zon zitten. "Een glas vruchtensap graag," zei ze tegen de man die naar buiten kwam.

"Sinaasappel, ananas, grapefruit, kersen."

"Kersen, dat lijkt me lekker," zei ze blij.

"Ik een pilsje, graag."

"Ik ga vanavond ook nog iemand bellen. Die Joke en Mark uit Utrecht. Het is mijn laatste kans om Thom te vinden. Ik hoop zo dat hij het is."

"En wat zeg je als je haar aan de telefoon krijgt?"

"O, ik verzin wel iets. Ha, laat dat maar aan mij over. Ik heb een dikke duim."

Maar ze hoefde niet veel te verzinnen toen ze Joke aan de telefoon had. Hun telefoonnummer, dat niet in oma's adressenboekje had gestaan, had ze gevonden op internet. "Dag, met Monique. Ik ben een kleindochter van Fenna."

"Ach, ja, Fenna. Dat is ook wat dat ze overleden is."

"Ja, ik mis haar vreselijk."

"Meen je dat? Maar ze was toch al 88."

"Dat wel, maar ze was ook een soort van tweede moeder voor me."

"Hoe bedoel je?"

Monique fronste haar wenkbrauwen. Ze sprak met iemand die niet wist dat haar eigen moeder niet meer leefde. Dit kon 'Marijke' niet zijn. "Mijn moeder is tien jaar geleden overleden. Wist u dat niet?"

"Nee, dat heeft Fenna ons nooit verteld, althans mij niet. Misschien dat mijn man het weet."

Monique schudde haar hoofd. Nee, dit waren ze niet, want natuurlijk wist 'Marijke' het. Die kende Laura immers ook al vanaf dat ze een kind was.

"Dag, met Mark. Waar bel je voor?"

"Ik zoek informatie over mijn oma en omdat jullie in haar adressenboekje stonden en een kaart hadden gestuurd voor haar begrafenis, dacht ik dat jullie me misschien verder konden helpen."

"Nee, om heel eerlijk te zijn, weet ik niet veel over haar. We hebben haar ooit op een vakantie in Spanje ontmoet. Ze zat met een vriendin bij ons in de bus en we hebben het heel gezellig gehad en ach, dan wissel je adressen uit en we stuurden elkaar af en toe een kaart, maar eigenlijk weet ik niets over haar."

"Dat is jammer, maar dan bied ik mijn excuses aan voor de storing."

"Geeft niets, hoor. Ik hoop dat je op een ander adres meer succes hebt."

"Dat hoop ik ook," zei ze lachend, maar ze wist dat er geen adres meer over was.

"Niks," zei ze tegen Bart. "Noppes, nada. Ze kenden oma eigenlijk niet eens." Ze zuchtte diep. "Dat was het dan. Einde speurtocht naar Thom."

"En nu? Ga je het boek nu niet uitgeven?"

Ze haalde haar schouders op. "Ik weet het niet. Ook dit moet even bezinken." Ze glimlachte en stond op. "Ik ga nog even in mijn mailbox kijken."

"Gelukkig. Ik dacht al, wanneer vertrekt ze nou?"

"Hoezo?"

"Er komt voetbal op!"

"O, haha, dat had ik kunnen snappen." Ze liep op hem af, gaf hem een kus, haalde haar hand door zijn haar. "Dag schat, veel plezier."

Boven ging ze achter haar computer zitten en maakte ze contact met internet. Verbaasd keek ze naar het grote aantal mails dat binnenkwam. 23 nieuwe mails. Wat was er toch aan de hand?

Het waren allemaal mails van lezeressen, die helemaal vol ontroering waren over het ene hoofdstuk dat in het tijdschrift had gestaan. Het hoofdstuk dat oma geschreven had. Er klopte iets niet, bedacht ze. Ze had succes, maar niet met haar eigen tekst. Ze had het verkeerd aangepakt, ze had een hoofdstuk van zichzelf in moeten sturen. Ze keek op haar beeldscherm en zocht naar hoofdstuk 6.

*Ik lig in bed. Alleen, met mijn gedachten. Het is donker, heel donker, zelfs als ik mijn ogen niet gesloten heb. Toch zie ik je gezicht haarscherp voor me. Je mond, je neus, je ogen en vooral de blik daarin van wanneer je naar me kijkt.*

"Moeder," fluisterde ze, "zo was het ook toen jij pas gestorven was. Ik durfde de lamp niet uit te doen, want dan kwam je gezicht in beeld, alsof je naast me stond, naar me keek." Ze stond op en pakte weer het album, zocht een foto van haar moeder op en keek ernaar. De mond, de neus, de ogen. Moeder, dacht ze, ik heb je zo gemist, maar ik had oma nog. Nu zijn jullie allebei weg

Ze hoorde voetstappen op de trap. De deur van haar kamer stond open als teken dat ze wel gestoord kon worden. Bart kwam binnen en keek naar haar.

"Is het nu al pauze?" vroeg ze verrast.

"Nee, maar ik heb de video aangezet. Ik kijk straks wel. Ik wilde weten hoe het met jou is. Ik maak me een beetje ongerust. Het was nogal aangrijpend van die man in Medemblik."

Ze lachte hem dankbaar toe. "Wat ken je mij toch goed. Ik zit inderdaad wat te piekeren. Weet je, ik denk dat ik me zo op dit boek gestort heb omdat ik niet wist hoe ik het anders moest verwerken dat oma er ook niet meer is. Toen moeder stierf, vond ik dat vreselijk, maar ik had oma. Nu voelde het even alsof ik niemand meer had en daarom wierp ik me op het boek. Natuurlijk, de teksten waren aangrijpend en meeslepend, maar het was alsof ik oma in leven wilde houden door het boek te schrijven, maar wat ik ook schrijf en wat ik ook doe, oma is dood en mijn moeder ook. Ik weet het wel en ik ben meestal ook heel opgewekt, maar ergens geloof ik het nog steeds niet en als ik dat boek maar schreef dan leek het alsof oma er nog was en moeder… Oma was het laatste echte van mijn moeder. Nu is er niets meer."

"Dat is niet waar. Je broer is net zo echt van je moeder en het kindje dat je draagt is ook van je moeder."

"Ja, dat is zo." Ze legde haar hand op haar buik. "Dat is zo. Mijn moeder krijgt een kleinkind en dat kind is net zo veel van mijn moeder als ik van oma was."

"Precies. Je bent niet alleen!"

Ze lachte naar hem. "Nee, dat weet ik wel, ik heb jou, maar een bloedband is toch anders."

"Dat bedoelde ik ook. Je bent niet alleen, want je hebt je broer nog en je krijgt een kind. En daarnaast ben ik er om tegen aan te zeuren." Hij nam haar in zijn armen en drukte haar liefkozend tegen zich aan. "Gaat het nou weer een beetje?"

Ze haalde haar schouders op en begon opeens onbedaarlijk te snikken.

Hij glimlachte. "Ik dacht al, wanneer huil je eindelijk eens een keer omdat oma Fenna er niet meer is."

"Ik wou sterk zijn," snikte ze. "Iedereen zegt dat 88 een mooie leeftijd is. Dan hoef je niet verdrietig te zijn. Het was haar tijd," zei ze snikkend.

"Natuurlijk was het haar tijd, maar daarom mis je haar nog wel. Huil maar lekker uit." Hij streelde haar rug en hield haar stevig vast tot ze wat rustiger werd.

"Ik had 23 mails van mensen die willen weten wanneer het boek uitkomt, maar het hoofdstuk dat ze gelezen hebben was niet van mij, maar van oma. Ik dacht dat het een succes zou worden, het boek, maar oma is een succes. Ik moet mezelf nog bewijzen."

"En nu ben je bang dat het niet lukt?"

"Ik kan niet zo mooi schrijven als oma Fenna."

"Wedden van wel? Oma heeft het zo vaak gezegd als ze een artikel of een column van jou las. Ze was zo trots op jou."

Ze keek hem aan. "Weet je, het is opeens niet meer belangrijk of het uitgegeven wordt of niet. Ik begrijp opeens dat het een soort van therapie voor mij was en die is geslaagd. Die had succes en dat is duizend keer belangrijker dan dit boek in de winkel. Vooral nu ik zelf in verwachting ben. Het is belangrijk dat mijn kindje een moeder krijgt die goed in haar vel zit. Ik leek best goed in orde, maar ergens zat er altijd nog die haat tegen die man die mijn moeder doodgereden had en het gemis, het verdriet. Nu voelt het of alles op zijn plaats gevallen is en ook het overlijden van oma heeft het juiste plaatsje in mijn leven gevonden."

Hij drukte een kus op haar mond. "Dat klinkt fantastisch en, Monique, mocht dit boek toch niet zo'n succes zijn, wat ik trouwens betwijfel, want ik heb alle hoofdstukken die je voor me had uitgeprint al gelezen, je bent nog zo jong, je staat pas aan het begin van je carrière. Je kunt nog honderden boeken schrijven."

"Als er geen dronken automobilisten mij de pas afsnijden."

# 33

# Hoofdstuk 21

"Nee, Ingrid, ik wil niet met je op vakantie. Ik wil nooit meer op vakantie."

"Fenna, wat is er aan de hand?"

"Ik wil niet meer leven," zei Fenna zacht in de telefoon.

"Fenna! Zeg niet van die rare dingen."

"Maar zo voelt het."

"Waarom?"

Fenna begon te huilen.

"Maar wat is er dan? We hadden toch afgesproken dat we weer samen op vakantie zouden gaan. Ik heb hier allemaal reisgidsen liggen en ik heb al hele leuke dingen gevonden. De Canarische Eilanden bijvoorbeeld. Daar spreken ze ook Spaans."

"Laura is dood," zei Fenna plompverloren.

"Wat?" riep Ingrid verbijsterd uit. "Laura? Je dochter?"

"Ja."

"O, meid, wat verschrikkelijk. Zal ik naar je toekomen?"

"Nee, laat me maar. Ik ben liever alleen."

"Maar je moet niet alleen zijn als je zo'n groot verdriet hebt."

"Liever wel."

"Zeker weten?"

"Ja, echt."

"Maar," zei Ingrid vragend, "hoe kan het? Wat is er gebeurd? Ze was toch niet ziek?"

"Een dronken automobilist."

"Meid, wat erg. Wat ontzettend erg."

Fenna begon nu harder te huilen.

"Ik kom eraan."

"Nee, laat me. Laat me alsjeblieft alleen zijn."

"Goed, als je dat prettiger vindt. Dan bel ik je gauw weer."

"Maar ik wil niet meer op vakantie."

"Dat begrijp ik, maar daar bel ik dan ook niet voor. Sterkte, Fenna. Heel veel sterkte."

Fenna legde de hoorn op de telefoon en knikte. Ja, sterkte. Dat had ze wel nodig, maar waar haalde ze die vandaan? De mensen zeiden dat zo gemakkelijk, maar hoe kwam je aan kracht als er zoiets verschrikkelijks gebeurd was? Ze liet haar tranen komen, al kon ze het nog steeds niet geloven. Het bericht was te erg voor woorden. Ze had het ook niet willen geloven, toen Ben die ochtend bij haar gekomen was om het afschuwelijke nieuws te vertellen. Maar Ben had gezegd dat het echt waar was. De politie was bij Roel op zijn werk geweest om het te vertellen. Ze hadden Roel naar het ziekenhuis gebracht en hij had het zelf gezien. Laura was dood. Ze moest Ben wel geloven, maar ze wilde en kon het niet. Ben had voorgesteld dat ze ook naar het ziekenhuis zouden gaan en daar was ze inderdaad op ingegaan. Doodstil had ze staan kijken naar haar dochter, die in het mortuarium lag. Haar gezicht was onbeschadigd en daar was Fenna blij om geweest, maar haar ogen waren gesloten. Ze moest wel dood zijn. Ben pakte haar toen bij de arm en wilde haar wegleiden, maar Fenna had zich losgerukt, was naar Laura toegelopen en had een kus op haar voorhoofd gedrukt. Ze was zo koud. Laura was zo koud.

Dat Kees was overleden, was vreselijk geweest, maar hij was tien jaar ouder dan zij en ergens had ze altijd geweten dat hij eerder zou gaan dan zij. Niet zo vroeg natuurlijk, maar wel eerder. Dat haar ouders zo snel achter elkaar waren overleden, was ook vreselijk geweest, maar ze hadden de leeftijd om te sterven. Laura kon niet dood zijn. Ze was nog maar 53. Het kon niet, mocht niet. Laura was niet aan de beurt! Als er iemand moest overlijden, dan was zij het, Fenna met haar 78 jaar, maar niet Laura! Toch was het zo.

En toen belde Ingrid vrolijk op om over een nieuwe gezamenlijke vakantie te praten. Hoe kon ze ooit nog op vakantie als vandaag haar leven gestopt was met bestaan? Hoe kon ze ooit nog ergens van genieten als het kostbaarste dat ze had er niet meer was? Ze kon net zo goed zelf ook doodgaan. Eigenlijk was ze vanmorgen doodgegaan toen ze Laura daar zag liggen in dat kille mortuarium onder dat witte laken. Ze had niets meer om voor te leven. Niets.

Even schrok ze van die gedachte. Ze had Ben nog en was die niet net zo kostbaar als Laura? Toch voelde dat anders aan. Natuurlijk hield ze van Ben. Minstens net zo veel als van Laura, maar hun band was anders. De band tussen haar dochter en haar was sterker, hechter dan tussen Ben en haar. Dat hoorde misschien niet, maar het was zo. Waarschijnlijk omdat Laura zich altijd beter kon uiten dan Ben en ze meer wist over Laura's gevoelens dan die van Ben. Natuurlijk zou ze net zo van slag zijn als het Ben was geweest die daar onder dat laken lag. Natuurlijk! Maar het was Ben niet. Het was Laura. Geboren midden in de oorlog. Nauwelijks mogelijkheden om kleertjes voor haar te maken, voeding genoeg, dat gelukkig wel, maar geen geld voor spullen en al had ze geld gehad, spullen waren er ook niet meer te koop. Gelukkig hadden haar ouders alles bewaard en kon ze Laura in dezelfde kinderwagen en wieg leggen, waar ze zelf ook in gelegen had, kon ze dezelfde katoenen luiers gebruiken die haar moeder ook voor haar gebruikt had, maar het was en bleef een armoedige start van haar leven in een tijd, waarin iedereen bang was en gespannen. Toch werd ze een vrolijke kleuter en later een vrolijke meid. Een mooie meid, waar veel jongens naar keken. Fenna was altijd trots geweest op haar mooie dochter. Wat hadden ze een heerlijk feest gehad toen ze 50 werd, drie jaar geleden nu. Een halve eeuw nadat ze geboren was en wat een verschil. Ze had prachtige kleren aan, ze had een eigen auto. Van armoede was totaal geen sprake meer en daar was Fenna zo dankbaar voor. Ze hadden de oorlog overleefd en ze waren omhoog geklommen. Het was hard werken geweest en niet altijd even gemakkelijk, maar Kees en zij hadden de kinderen toch kunnen geven wat ze nodig hadden en ze waren goed terechtgekomen. Ze hoefde zich geen zorgen meer te maken, want alles ging zo goed.

En nu dit. Laura was er niet meer. Ze was dood! Ze barstte opnieuw in snikken uit en dacht dat ze nooit meer op zou houden. Toch droogde ze haar tranen. Ze stond op. Ze moest naar Roel toe. Die had haar misschien nodig. En de kinderen. Monique en Peter. Die waren natuurlijk ook ontroostbaar. Iemand moest die kinderen opvangen, want Roel kon dat op dit moment misschien niet. Hij was een goede man en vader, maar het was altijd Laura geweest die er voor de kinderen was. Zij zat altijd thuis en was het luisterend oor en de troostende schouder voor hen. Ze belde een taxi, want ze wist dat ze nu zelf niet rijden kon. Ze trilde te veel en haar zicht was wazig van de tranen.

Roel zat met de begrafenisondernemer aan tafel toen ze binnenkwam. Monique en Peter zaten er verslagen bij. Niemand was in staat beslissingen te nemen. Fenna zag ze zitten en haar hart voelde verscheurd. Laura, kijk toch wat je achterlaat! Jouw man, jouw kinderen. Hier zit alles waar je voor leefde en je bent er niet meer.

Monique zag haar en vloog op haar af. "Oma!" riep ze uit. "Oma Fenna." Ze vloog haar in de armen en snikte het uit. Fenna streelde troostend over haar rug.

"Die schoft!" riep Peter woedend. "Die ongelooflijke schoft."

Fenna begreep dat hij de automobilist bedoelde en ze knikte hem toe over het hoofd van Monique heen. Natuurlijk was het een schoft. Om dronken achter het stuur te gaan zitten...

"Als ik hem tegenkom, vermoord ik hem," zei Roel toonloos.

Voorzichtig duwde Fenna Monique naar de tafel en liet ze het 23-jarige meisje plaatsnemen. Ze knikte naar de begrafenisondernemer en ging bij hen aan tafel zitten. "Lukt het hier?" vroeg ze kalm.

"Nee," riep Roel uit. "Natuurlijk lukt het niet. Ik moet een kist uitzoeken. Een kist!" riep hij met wanhopige ogen. "Laura hoort niet in een kist, ze hoort hier bij ons te zitten."

Waar Fenna de kracht vandaan haalde, wist ze niet, maar ze was in staat met de begrafenisondernemer te praten en Roel iets te kalmeren en toen even later de dominee kwam om de begrafenisdienst te bespreken, was het opnieuw Fenna die de dingen regelde, omdat Roel niet in staat was ook maar iets te bedenken.

Het werd een mooie dienst, voor zover je dat zeggen kon van

een rouwdienst, maar Roel, Monique en Peter zeiden het later tegen Fenna. Het was goed geweest. Heel goed. Precies zoals Laura dat gewild zou hebben als ze de kans had gekregen om het te zeggen. Ze begroeven haar niet ver bij Kees vandaan en de stoet maakte een kleine omweg om met de kist langs Kees' graf te lopen. Fenna bleef even staan en keek naar de letters op de steen. Je was niet de man uit mijn leven, dacht ze in stilte, maar je hebt me wel het mooiste gegeven dat een vrouw zich wensen kan en Laura hield van jou. Ze hield echt veel van jou. Nu komt ze naar je toe, Kees. Ontvang haar met open armen, zorg voor haar, zorg jij verder voor haar, want ik kan hier niets meer voor haar doen. Ze zuchtte en toen ze opkeek, keek ze recht in de ogen van Thom. Haar hart sloeg een paar tellen over. Hij was gekomen! Hun blikken hielden elkaar even vast, woorden waren niet nodig, ze voelde hoe hij haar vanaf die afstand troostte, kracht gaf om verder te lopen naar Laura's graf.

Na de korte plechtigheid bij het graf, knielde Fenna in de rulle aarde en legde haar bloem op de kist, die ze in het gat hadden laten zakken. "Laura," fluisterde ze. "Laura, mijn meisje, ik kom over een poosje bij je. Echt, ik laat je niet lang alleen. Ik kom."

Ze voelde hoe iemand haar omhoog trok en zonder te kijken wist ze wie het was. Ze liet zich meevoeren naar een ander pad en daar leunde ze tegen hem aan. Ze zeiden niets. Geen woord kwam over hun lippen. Ze stonden alleen maar dicht tegen elkaar aan en Fenna huilde, liet de tranen gaan die ze nog had en hij hield haar vast, stevig vast, tot ze weer op haar eigen benen kon staan. Ze keek hem aan. "Dank je, Thom. Dank je dat je gekomen bent."

Hij glimlachte. "Ik wou dat ik meer voor je kon doen, maar dit moet zo ontzettend zijn, dat niemand je erbij kan helpen."

Ze glimlachte terug. "Je geeft me kracht en die heb ik nodig. De kinderen zijn er nog en Roel."

"Want anders?"

Ze haalde licht haar schouders op, maar hij voelde het en begreep het. "Anders heb je niets meer om voor te leven."

Ze durfde geen ja te zeggen, want ze besefte opeens dat ze

jarenlang voornamelijk geleefd had in de hoop dat zij ooit samen zouden zijn, maar ze wist ook dat ze die hoop al lang had opgegeven en dat ze alleen maar leefde op herinneringen en met de wetenschap dat hij van haar hiel.

*De warmte die het me geeft omdat jij van mij houdt, draag ik altijd voelbaar bij me. Het geeft de dingen die ik doe en het leven dat ik leid, een gouden glans, maar ik leef er niet meer voor, ik leef ermee, het maakt mijn leven gelukkiger, maar ik leef niet meer in afwachting van. Ik leefde voor mijn kinderen en kleinkinderen, niet meer hopend op jou.*

Ze keek hem aan. "Ik hou van je," zei ze zacht, "en ik ben blij dat je in dit moeilijke moment bij me bent. Daar zal ik kracht uit putten."

"Ik ben altijd bij je, Fenna. In gedachten ben ik altijd bij je."

"Dat weet ik en dat voel ik ook." Ze keek hem vol liefde aan. "Dat voel ik elke dag."

Hij pakte haar bij de arm en samen liepen ze naar het gebouw waar ze koffie konden drinken en Roel en de kinderen konden condoleren. Voor de deur bleef hij staan. "Fenna, ik ga naar huis. Ik bel je gauw als je dat goed vindt."

Ze knikte. "Graag," zei ze zacht.

Even waren daar zijn lippen op de hare. Even was er zijn hand langs haar wang. Toen liep hij weg naar de parkeerplaats. Ze keek hem na. De man van wie ze zo intens hiel, dat ze er af en toe kapot aan gegaan was. De man, die van haar hiel met heel zijn hart.

*Elf jaar had ik je niet meer gezien, lief, elf hele jaren lang en toch voelde ik dat onze liefde onveranderd was of misschien wel sterker geworden zelfs en ik koester me erin, warm me eraan, haal er kracht uit om verder te gaan, want het leven gaat verder en ik moet verder, maar zonder jouw liefde was ik daartoe niet in staat.*

En het lukte haar om binnen haar armen om Monique heen te slaan, die stond te huilen. Het lukte haar om Peter een hart onder de riem te steken. Het lukte haar haar hoofd boven water te houden, al was ze na die dag nooit meer de vrouw die ze ervoor geweest was.

# 34

# Hoofdstuk 22

Vanaf die dag was Monique vaak bij Fenna te vinden. Ze vonden veiligheid en geborgenheid bij elkaar. Ze konden uren praten over van alles en nog wat. Monique vertelde over het vriendje waarmee het uitgegaan was en zocht troost bij oma. Monique vertelde het toen ze een nieuwe jongen ontmoet had en deelde haar blijdschap met oma. Maar nooit vertelde Fenna haar kleindochter over de liefde die zij in haar leven kende. Monique vertelde over haar nieuwe baan als verslaggeefster bij een krant en later dat ze freelance ging werken. Fenna las haar eerste artikelen nog voordat ze gepubliceerd werden en Fenna was er als er, heel soms, een artikel werd afgekeurd.

"Praat je wel eens met je vader?"

"Vader wil niet praten. Hij zit alle dagen stil op de bank en als ik naast hem ga zitten, merkt hij het niet eens."

"Ik zal de dokter eens bellen en naar hem toe sturen," zei Fenna. "Natuurlijk is hij kapot van verdriet, dat zijn we allemaal, maar Laura zou het nooit goed vinden als wij ons hoofd zo laten hangen als Roel nu doet. Laura hield van het leven en ik weet zeker dat ze het belangrijk vond dat wij er ook van blijven houden."

Ze konden ook uren stil zin. Dan luisterden ze naar muziek of keken ze televisie of hadden ze elk hun eigen gedachten. Dan dacht Fenna aan wat ze tegen Monique gezegd had en wist ze, dat het gemakkelijker was om te zeggen dan om te doen, want zelf zou ze het liefst van alles haar hoofd ook laten hangen. Ze kon het alleen voor Monique niet doen.

Na verloop van tijd krabbelden ze weer wat overeind. Roel ging toch weer naar zijn werk en Fenna kon weer iets beter ademhalen en toen de mensen van Engelse les er op aan bleven dringen dat ze nog eens mee ging op een reis naar Engeland, liet ze zich uiteindelijk overhalen.

Wel stopte ze met haar werk als bezoekdame. Ze kon het niet goed meer opbrengen anderen te troosten en hun verhalen aan te horen, terwijl ze zelf dringend behoefte had aan troost. De gymnastieklessen werden haar ook te zwaar al heette hun clubje inmiddels al jaren bejaardengym en waren de oefeningen al lang aangepast. Ze zag het niet meer zitten er naartoe te gaan. De cursus Engels was ook allang geen cursus meer, maar meer een gezellige bijeenkomst waar uitsluitend Engels gepraat mocht worden en zo was dat ook met de laatste drie mensen die er van de cursus Spaans nog over waren.

Haar 80e verjaardag vierde Fenna sober in haar eigen huis. Monique wilde een groot feest, want het was toch geweldig dat ze 80 werd, maar Fenna had geen behoefte meer aan grote feesten. "Hoe kan ik feest vieren zonder Laura?" zei ze met een droevige stem.

Wat die dag wel grappig was, vond Fenna zelf, dat was dat ze hevig kleurde toen ze de postbode langs zag lopen en zelf niet snel genoeg bij de deur kon zijn. "Bedankt!" hoorde Monique opgewekt zeggen. "Kijk eens, oma, wat een groot pak voor u. Ze hebben toch aan u gedacht!"

Fenna nam het aan en zonder naar het handschrift te kijken wist ze wie de afzender was. Ze voelde haar rode wangen en ze merkte dat haar ogen glansden.

"Moet u niet kijken wat erin zit?"

"Dat doe ik straks wel, meisje. Het is nu al druk genoeg."

"Oma, zo oud bent u toch nog niet? Zijn we u teveel?"

Fenna keek naar Monique en haar nieuwste vriend Bart en glimlachte. "Nee, jullie zijn me niet teveel, het zijn meer de gedachten en herinneringen aan mijn leven."

"Maar een pakje. Bent u dan niet nieuwsgierig?"

"Ik ben reuze nieuwsgierig, maar ik pak het pas uit als ik helemaal alleen ben, want ik wil er in mijn eentje van genieten."

"Doe niet zo flauw, oma, want ik ben ook nieuwsgierig."

"Zeg," bemoeide Bart zich er opeens mee, "je hoort je oma toch wel? Laat haar deze dag vieren zoals zij dat wil."

Monique keek hem verbaasd aan, maar lachte toen. "Je hebt gelijk. Sorry oma. Ik stel me aan."

Het gemis van Laura was die dag groot, maar het cadeau van Thom gaf de dag toch een gouden randje. Zijn woorden op de kaart, woorden vol warme liefde en het cadeau, dat een schilderij was van de zee bij Egmond aan Zee, want ze wist bijna zeker dat ze de vuurtoren herkende, gaf haar herinneringen aan die wandeling hand in hand door de branding van de zee een extra dimensie van gloed en liefde en nog voor ze naar bed ging hing ze het aan de slaapkamermuur, waar al jaren een schilderij hing dat ze eigenlijk niet eens mooi vond. En zo werd ze elke morgen wakker met de blik op de weidse zee en viel ze elke avond in slaap, terwijl om de zo veel seconden het licht van de vuurtoren haar lichaam bescheen, haar eenzame, verouderde lichaam.

*Elke avond verheug ik me erop om naar te bed te gaan, want daar, tussen het nog net wakker zijn en bijna slapen, daar ben jij het meest van alles aanwezig. Ik zie je ogen, nee de blik - ik moet tot mijn ontsteltenis bekennen dat ik de kleur van je ogen vergeten ben - maar ik zie die blik van warmte en van liefde waarmee je me toedekt en welterusten zegt. Daar, in dat half wel half niet aanwezig zijn, voel ik me zo een met jou en weet ik dat jij mij bemint en ik jou.*

Zelfs na haar 80e ging Fenna nog met Ingrid op reis. Ze waren slechts één jaar niet geweest en hadden toen de draad weer opgepakt. De reizen werden rustiger, minder actief, maar nog net zo indrukwekkend. "Jammer dat ik nooit Italiaans geleerd heb," verzuchtte ze toen ze midden in Pisa stond en naar de scheve toren keek.

"Ben jij dan nooit tevreden?" vroeg Ingrid lachend, die niet een woord over de grens sprak.

"Ik ben ontzettend tevreden," zei Fenna net zo lachend. "Ik heb een rijk leven gehad." Even trok er een schaduw over haar gezicht, want natuurlijk dacht ze aan Laura en natuurlijk dacht ze aan Thom, maar ondanks alles kon ze zeggen dat ze een rijk leven had gehad.

Helaas stierf Ingrid niet lang na hun reis naar Italië. "Het was haar tijd," zei Fenna verdrietig. "Ze is 84 geworden, een mooie leeftijd."

"Wat bedoelt u, oma?" vroeg Monique angstig.

"Precies wat ik zeg."

"Maar uw tijd is het nog niet. Ik kan u nog niet missen."

"Meisje, je hebt je vader nog, je hebt een geweldige vriend en zelfs plannen om met hem te gaan samenwonen. Jij kunt heel goed zonder mij."

"Nee, oma, dat kan ik niet!"

"Dan wordt het tijd dat je dat leert."

"Maar dat wil ik niet."

"Dat is wat anders," zei Fenna glimlachend.

Maar dat het haar tijd bijna zou zijn, daar was ze wel van overtuigd, want nadat Ingrid overleed, overleden er ook twee mensen van de Engelse les en van de cursus Spaans was er nog maar een deelnemer over. "Dat is het moeilijke aan ouder worden," zei ze zacht tegen Monique. "Iedereen van wie je hield en iedereen die je kende, gaat dood. Het wordt wel erg stil om me heen, meisje."

*Maar jij, mijn lief, jij was net zo sterk als ik en vaak vroeg ik me af wat het was dat jou in leven hield. Natuurlijk was je altijd optimistischer en positiever geweest dan ik. Depressieve buien kende je amper. Toch had ik het gevoel dat je niet gelukkig kon zijn en het verbaasde me dat je daar niet aan onderdoor ging. Waren het de telefoongesprekken die we zo heel af en toe voerden? De lichtpuntjes in je leven, zoals jij die noemde. Was het de hoop dat we toch nog ooit echt samen...*

De brievenbus klepperde en Fenna stond op. Tot haar verrassing zag ze dat er een fleurige ansichtkaart bij de post was. Ze ging in de stoel bij het raam zitten om dicht bij het licht te zijn. Leuk, dacht ze verheugd, een kaartje van Joke en Mark uit Utrecht en ze glimlachte omdat ze terugdacht aan die reis naar Spanje waar ze dit echtpaar had ontmoet. Ze betrapte zich erop dat ze steeds vaker in gedachten verzonken in deze stoel zat en dat ze dus toch eindelijk oud begon te worden. Ze ondernam minder, had er ook minder behoefte aan, zat vaak wat voor zich uit te staren en was daar heel tevreden mee. Ze genoot van de herinneringen aan Spanje, waar ze met de bevolking praten kon, in het begin wat moeizaam en traag, maar later hele discussies en vaak moest ze van alles vertalen voor de anderen in de bus en dan voelde ze zich even weer trots en blij om al die dingen die ze pas na haar 50$^e$ was gaan doen!

Maar terwijl ze zo zat te mijmeren ging de telefoon. Ze stond op, liep naar de tafel en ging op een rechte stoel zitten. "Met Fenna."

"Dag lief."

"Thom," zei ze blij. "Thom, wat fijn je stem te horen."

"Maar niet zo fijn als de jouwe!" Hij lachte, maar ze hoorde een ondertoon van verdriet in zijn stem. "Wat is er?"

"We gaan verhuizen."

"O?"

"Ik kan het niet meer aan om alleen voor Marijke te zorgen. Ze ligt voortdurend in bed. Ze doet geen enkele moeite meer eruit te komen of om nog iets te ondernemen. Ik kan dat niet meer aan. We gaan naar een bejaardentehuis."

Ze antwoordde niet. Ze schrok van de klank in zijn stem. Het lukte hem deze keer niet die voor haar verborgen te houden. Hij was ongelukkig en ook al wist ze dat eigenlijk al lang, het drong nu echt goed tot haar door. Als hij de moed had laten zakken, was er niet veel meer te redden en Thom in een bejaardentehuis? Dat was volgens haar het begin van het einde. Ze kon zich niet voorstellen dat hij het daar prettig zou vinden. Hij was geen man die gezellig naar de bejaardensoos ging of met anderen in de eetzaal koffie ging zitten drinken.

"Waarom zeg je niets?"

"Ik weet niet wat ik moet zeggen, Thom. Ik weet het niet. Moet het?"

"Ja. We hebben elke dag thuiszorg, maar dat is niet langer genoeg."

"Maar een bejaardentehuis! Moet ze dan niet naar een

verpleegtehuis?"

"Daar is ze nog te goed voor, want ze kan zichzelf nog prima redden, als ze wil."

"Als ze wil…"

"Juist."

Ze zwegen een poosje en ze hoorde zijn ademhaling en voelde zijn armen om haar heen, maar opeens wist ze dat dat verkeerd was. Nu moesten haar armen om hem heen, nu had hij haar nodig, echt nodig. "Mijn lief," zei ze met verstikte stem. Ze haalde haar schouders op. Ze wist niets meer te zeggen en stil zaten ze elk aan hun kant van de telefoon.

"Als we daar wonen," verbrak hij uiteindelijk de stilte, "dan kan ik er nog eens op uit. Ik wandel graag of ga graag met de bus naar de zee. Zoals het nu is, lukt het me niet meer om haar alleen te laten. Ze raakt dan zo in paniek, dat ik wel thuis moet blijven. We hebben een heel mooi bejaardentehuis gevonden, een privétehuis met ruime appartementen. We krijgen elk een eigen slaapkamer, net zoals we hier al jaren hebben en ze zorgen voor haar als ik eens weg ga."

"Dat klinkt goed, Thom. Daar ben ik blij om. Het is toch zo belangrijk dat jij ook nog dingen doet die je zelf graag doet."

Ze zag hem glimlachen, maar het was geen warme lach.

"Dat doe ik al jaren niet meer."

"Thom!" Ze riep zijn naam uit. "Thom, zo mag je niet klinken. Jij bent sterk! Jij kunt de hele wereld aan."

"Maar alles heeft zijn grenzen, lief, alles kent zijn tijd."

"Thom, Thom…" Fenna voelde de tranen stromen. De sterke man van wie ze al zo lang en zo intens hield, hij leek geknakt en ze wist niet wat ze daaraan moest doen.

"Ik heb maar een wens," zei hij zacht.

"Het is goed," zei ze net zo zacht terug.

"Echt?"

"Natuurlijk, Thom. Natuurlijk. Ik heb precies dezelfde wens!"

"Als we verhuisd zijn en ik haar een poos alleen kan laten, mag ik dan een uurtje komen?"

*De kruimels van de tafel…Opeens schoten die woorden me weer te binnen. De kruimels van de tafel waren voor mij, maar voor jou, mijn lief, was er niet veel meer. Ook jij moest met kruimels genoegen nemen.*

"Een uurtje?" vroeg ik tegen beter weten in.

Hij lachte moeizaam. "Ik ben de jongste niet meer, ik ben 85 en ik rijd geen auto meer, ik zal met de trein, bus en taxi moeten komen. Ik ben een dag onderweg voor dat uurtje."

"Maar blijf dan. Blijf en ga de volgende dag terug." Ze wist niet wat haar bezielde, maar opeens moest en zou ze hem zien. Ze wilde hem vasthouden, troosten, zijn zorgen wegstrelen. "Thom…"

"Lief, mijn allerliefste…"

Er viel een stilte die lang duurde, maar door de kilometerslange telefoonlijn heen voelden ze elkaars warmte.

"De kinderen zijn al bezig de boel te sorteren. Overmorgen gaan we verhuizen. Ik kom volgende week. Ik bel je nog."

"Ik wacht erop," zei ze. "Sterkte."

# -35-

## Hoofdstuk 23

Maar het werd niet het uurtje waarop Fenna en Thom gehoopt hadden. Nog diezelfde dag viel Fenna van de trap en brak ze haar heup. Tot haar grote geluk kwam Monique vijf minuten later op bezoek en lag ze niet lang onderaan de trap met een van pijn vertrokken lichaam. De ambulance was er snel. Ze werd ook meteen geopereerd, maar ze voelde zich gebroken. Haar hele lichaam zag blauw van de plekken die ze opgelopen had tijdens de val en een paar ribben waren ernstig gekneusd. Ondanks dat had ze er nog een hele toestand van gemaakt voor ze onder het mes ging, want de zuster wilde haar horloge afdoen en daar wilde Fenna niets van weten.

"Maar het moet voor de narcose. Alle sieraden moeten af."

"Niet mijn horloge," zei ze kreunend van de pijn.

"Ook uw horloge."

"Nee!" gilde ze. "Niet mijn horloge. Zonder horloge ben ik alleen."

Ze is nooit te weten gekomen dat ze haar horloge tijdens de operatie af hebben gedaan, nadat ze in slaap gemaakt was dus en voordat ze weer bijkwam weer hebben omgedaan. De zuster vertelde het later aan Roel en Monique, die de paniek ook niet begrepen, maar alleen erg blij waren dat de operatie goed geslaagd was.

Na een week begon Fenna eindelijk weer een beetje besef te krijgen van de wereld om zich heen en bekeek ze de post die Monique haar van thuis gebracht had. Ze keek naar het verhuisbericht en schrok zo ontzettend dat ze in paniek op de bel drukte. Een zuster kwam de zaal op en keek vragend om zich heen.

"Lig ik hier echt al een week?" Fenna wilde overeind komen.

"Dat zou zomaar kunnen."

"Maar een hele week? Waarom weet ik dat niet?"

1223333333
11111111111111111111111111111111111111

"U was wat wazig door de operatie en de pijnstillers."

"Maar Thom... Ik zou bezoek krijgen. Kunt u hem niet voor me opbellen? Die hele reis en ik lig hier. Hij weet niet dat ik hier ben."

"Rustig, maar, mevrouwtje. Iedereen weet dat u hier ligt. Uw kinderen en kleinkinderen zijn allemaal allang geweest."

Fenna keek de zuster aan en waar het van kwam, wist ze niet, want ze was zelden echt boos, maar nu voelde ze de agressie naar boven komen. "Wat weet jij daarvan? Alle kinderen? Laura is dood, weet je. Alle kinderen? Alleen Ben is er nog. En iedereen? Iedereen is geweest? Helemaal niet. Thom is niet geweest."

De zuster schrok van de reactie en probeerde Fenna te kalmeren, maar het lukte niet goed.

"Ik wil dat je Thom belt."

"Dat is goed. Dat beloof ik."

"Nu."

"Ook dat beloof ik, als u me zijn nummer geeft."

Ze stak haar het verhuisbericht toe en liet haar hoofd in het kussen vallen. Ze sloot haar ogen en probeerde rustig te worden, maar ze voelde zich afschuwelijk. Thom had haar zo nodig en ze had hem in de steek gelaten.

"Hij zei dat hij morgen naar het ziekenhuis komt," zei de zuster even later opgewekt.

"Heb je hem gesproken?" Fenna's ogen werden groot.

"Ja. Hij dacht al dat er wat was omdat u nooit opnam. Hij komt morgen."

Ze sloot haar ogen. Thom, mijn lief.

En hij kwam de volgende dag. Opeens stond hij bij haar in de kamer, naast haar bed. Ze deed haar ogen open en zag hem. Haar ogen schoten vol. Voor het eerst zag ze dat hij oud geworden was, oud en een beetje kromgebogen.

Ze stak haar handen naar hem uit en hij pakte ze. Ging op de stoel zitten naast haar bed en keek haar alleen maar aan. Hun ogen vulden zich met tranen, maar ze huilden niet. Hun handen speelden het spel van jaren her, streelden elkaar, hielden elkaar vast en lieten het hele uur niet meer los.

Ze spraken niet echt veel, want wat was er nog te zeggen als je beiden aan het einde van het leven stond? Het enige wat belangrijk was, was hun ongestorven liefde voor elkaar en die was duidelijk voelbaar, zichtbaar misschien zelfs voor anderen, want ze werden het hele uur door niemand gestoord.

Toch zat Thom nog ergens mee en hij keek haar intens aan. "Er zijn dagen geweest," fluisterde hij, "dat ik het me kwalijk nam dat ik het heb laten gebeuren, die allereerste keer."

"Waarom?" Ze keek hem ontzet aan.

"Omdat het een belofte inhield, die ik nooit waar heb kunnen maken."

"Dat wist ik toch."

Hij schudde zijn hoofd. "Ik heb je veel verdriet bezorgd."

Ze glimlachte. "Dat is waar. Ik heb best gehuild om mijn verlangen naar jou, maar je hebt me nog meer geluk gegeven. Jij hebt me eigenwaarde gegeven, je hebt me zelfbewust gemaakt, je hebt me altijd gesteund, getroost en aangemoedigd en je hebt me je liefde gegeven, je onvoorwaardelijke liefde op elke, elke dag van de afgelopen dertig jaar... Wat kan een mens nog meer verlangen?"

Hun lippen raakten elkaar. Hij maakte een hand los en gleed met een vinger over haar voorhoofd, haar wangen, haar neus en haar oogleden.

*"Je veegt alle moois eraf."*

*"Dat is onmogelijk. Je bent zo mooi, Fenna, zo ontzettend mooi. Hoe lang ik ook zou vegen, je blijft altijd mooi."*

*Ik voelde me verward en opgewonden tegelijk. De blik in je ogen was zo teder. Zo had nog nooit iemand naar me gekeken. Waarom deed je dat? Waarom maakte je me zo in de war?*

"Je bent niets veranderd," zei ze glimlachend. "Helemaal niets! Ik hou van je en ik wacht op je. Voor altijd en eeuwig!"

"Bedankt Fenna, dat ik mocht komen en ook de komende tijd weer aankan, zoals ik dat de afgelopen jaren door jou kon. Ik heb je lief."

Fenna moest tien weken in het ziekenhuis blijven en ze vierde de millenniumwisseling samen met twee vrouwen, een man, drie verpleegkundigen en Monique en Bart in de ziekenzaal en ze had er echt moeite mee te begrijpen dat ze vanaf dat tijdstip in het jaar 2000 leefde, maar het scheen zo te zijn.

Ben en Maria boden aan haar in huis te nemen, maar dat wilde ze niet. "Ik wil naar mijn eigen huis, ik wil naar huis," zei ze telkens opnieuw. Er werd een bed in haar woonkamer geplaatst, omdat ze de trap nog niet alleen mocht lopen, de wc was beneden en elke ochtend kwam er iemand van thuiszorg om haar te wassen tot ze eindelijk zelf weer naar de badkamer boven kon, maar ze liep nooit meer zo goed als voor die tijd en ondanks dat ze steeds boos gereageerd had als iemand voorstelde, dat ze zich misschien op moest geven voor het bejaardentehuis, deed ze dat uiteindelijk toch. "Het huis is te groot en de trap te lang en de tuin te ver weg," was haar redenatie en dus zat er maar een ding op.

Het duurde nog een klein jaar, maar dat was ook goed. Zo kon Fenna toeleven naar de verhuizing naar een bejaardenappartementje en zelf zo af en toe een kast of een lade leeghalen om dingen te sorteren die wel of niet weg moesten.

*Mijn hele huis hangt vol met herinneringen, herinneringen aan jou, mijn lief. Niemand weet dat, niemand ziet het, alleen ik! Die lege fles in de vensterbank, die Monique in de glasbak wilde gooien, maar die wij samen leegdronken op een avond, meer dronken van elkaar dan van de wijn. De ingelijste kaarten aan de muren, het schilderij op mijn slaapkamer, het horloge dat nog tikt als mijn hart het allang niet meer doet. De armband die ik alleen bij speciale gelegenheden draag en de lege flesjes parfum die allemaal vol zijn geweest. De droogboeketjes in de keuken en die schelpen van het strand. Alles neem ik mee naar mijn nieuwe woning, want niets wil ik hiervan kwijt. En de dierbaarste herinneringen neem ik zelfs mee het graf in, want die wonen in mijn hart en ziel. Ik zie ze als ik mijn oogleden sluit, ik zie ze met mijn ogen open en die, mijn lieve lief, die neemt niemand me ooit af.*

# 36

In de werkkamer van Monique was de chaos behoorlijk groot geworden. Ze keek om zich heen en zag alle herinneringen van oma Fenna uitgestald liggen. Zelfs het schilderij met de vuurtoren. Ze glimlachte. Op de meubels na was eigenlijk alles in het appartementje van oma een herinnering geweest aan hem. De fles waar oma over schreef, had Monique eigenhandig in de glasbak gegooid, nadat oma was overleden en de gedroogde bloemen in de container. Ze had geen idee gehad waarom oma die bewaarde. Moest ze daar nu spijt van hebben? Haar blik gleed over de verschillende dingen, de kaarten, de langspeelplaten, schelpen, een paar boeken. Dingen die zo waardevol voor oma waren geweest. Moest zij die nu voor haar bewaren?
Opeens schudde ze kordaat haar hoofd. "Nee," zei ze hardop. "Het zijn oma's herinneringen aan hem. Wat ik moet bewaren, dat zijn mijn herinneringen aan oma!" Ze keek naar haar pols, waar het horloge vol vertrouwen tikte. "Dat is een herinnering aan oma!" zei ze tegen zichzelf. "Ik heb haar nauwelijks zonder dit horloge gekend." En het ladekastje! Ze kwam overeind en liep erop af. Ze liet haar vinger over het bovenblad glijden en merkte dat ze glimlachte. Wat haar bij dat kastje het meest aan oma deed denken, was het feit dat oma er zo vaak wat in wegborg als Monique haar kamer inkwam. Nu wist ze precies wat oma daar verstopte. Ze wist het woord voor woord. Het was oma's geheime kastje en Monique kende nu haar grote geheim. Dat kastje zou ze natuurlijk houden al stond het niet mooi in haar moderne werkkamer, maar dat kon haar niets schelen. Misschien kan ik het ook voor mijn geheimpjes gebruiken? dacht ze grinnikend, al wist ze heel goed dat ze nooit grote geheimen voor Bart zou hebben. Maar haar persoonlijke dingen kon ze erin leggen, de dingen die haar het liefst waren. Zoals het fotoalbum van haar moeder, dacht ze en nog wat mooie dingen, die ze heel af en toe tevoorschijn kon halen om ze nog eens met warmte te bekijken.

Ze stapelde de andere herinneringen van oma op. Een schelp viel op de grond en brak in tweeën. Monique stond er even stil naar te kijken. Was dit symbolisch bedoeld? De dubbele schelp die al die jaren aan elkaar had gezeten en nu los ging van elkaar? Twee losse helften die samen een geheel gevormd hadden? Maar ze waren nog steeds een geheel. Ze pasten nog precies tegen elkaar aan, zag ze toen ze ze opgeraapt had en keek naar de ene helft in haar linkerhand en de andere in haar rechter. Oma Fenna, dacht ze bedroefd, eens komt er een dag dat deze twee helften vanzelf weer aan elkaar vast zitten. Ik weet het zeker! En desnoods koop ik secondelijm. Ze lachte hardop. Verdraaid. Ze had het zich toch wel aangetrokken, dat hele verhaal van oma en Thom.

Ze keek opnieuw naar alles om zich heen en haalde haar schouders op. Op een dag zou ze alles wegbrengen of weggooien. Ze had het niet meer nodig, niemand had er nog iets van nodig. Oma droeg haar mooiste herinneringen in haar hart en die had ze meegenomen naar het hiernamaals.

De kamer zag er weer iets opgeruimder uit na een poosje en ze ging weer achter haar computer zitten. Ze zuchtte zachtjes. Het was alsof ze in een paar weken een heel leven had geleefd, het leven van oma. Volgende week moest ze haar eerste interview weer houden en een column werd er ook weer van haar verwacht. Haar vrije tijd zat er bijna op, al had ze nog nooit zo hard gewerkt als juist in deze vrije weken.

Oma's geheim… Het was een uitdaging geweest het boek te schrijven. Nog één hoofdstuk moest ze en dan was ze klaar, maar het was voor haarzelf het moeilijkste hoofdstuk omdat oma erin stierf. Ze had ook een beslissing genomen. Ondanks alle tijd die ze erin gestoken had, ze zou het boek niet uitgeven. Ze kon het Thom niet aandoen, want al wist ze niet wie hij was, ze wist dat hij nog moest leven, want nergens, nergens had oma er ook maar met een woord over gerept, dat hij er niet meer was. En Marijke, ook die moest nog leven.

Nu glimlachte ze. De uitgever had raar staan kijken. Hij begreep er niets van, toen ze eindelijk toch contact met hem had opgenomen.

"Waarom schrijf je een boek als je het niet uit wilt geven? Sterker nog, waarom zet je er een hoofdstuk van in een tijdschrift, als het boek nooit in de winkel komt?"

"Niets is veranderlijker dan een mens," had Monique gereageerd, "en ik ben een echt mens."

"Maar ik snap het niet. Het moet het daglicht zien. Dat hoofdstuk was zo mooi! Laat het me dan tenminste lezen!"

"De eerste hoofdstukken kunt u krijgen, maar puur en alleen omdat ik zelf nieuwsgierig naar uw reactie ben. Ik wil natuurlijk best graag weten wat u ervan vindt. Of u vindt dat ik een echte schrijfster ben, maar ik geef het niet uit, zolang…"

"Zolang wat?"

"Tja, dat is een persoonlijke zaak."

"Maar als je het dan uitgeeft, dan wil ík het uitgeven. Ik wil een optie op je boek."

Monique voelde zich gloeien toen hij dat zei. Het was onvoorstelbaar dat een uitgever achter haar aanzat. Het was toch altijd het tegenovergestelde? Dat schrijvers met hun boek moesten leuren voordat er eindelijk iemand over de streep getrokken werd en het uit wilde geven.

Ze hoorde het geluid van binnenkomende mail en keek snel in haar mailbox. Ze zag tot haar verrassing een mail van de uitgever. Snel opende ze zijn bericht en las met gloeiende wangen wat hij schreef: 'Beste Monique, Dit boek is te mooi om niet uit te geven. Ik bied je een voorschot van 500 euro en 10 % royalty's op de verkoopprijs en ik ga er alles aan doen om het ook in het buitenland te verkopen. Stuur me de rest zo snel mogelijk toe.'

Jippie! Hij wilde het hebben. Ze voelde zich helemaal blij en gelukkig. "Oma, we kunnen het. We zijn samen in staat een boek te schrijven!" Ze lachte en sprong op van haar stoel. Ze pakte haar mobiele telefoon en belde Bart. "Die uitgever wil het hebben!" riep ze vrolijk.

"Maar jij wilde het toch niet…"

"Nee, natuurlijk niet. Maar hij vindt het goed en dat is toch een heerlijk compliment."

"Daar heb je gelijk in. Het betekent dat je echt een boek kunt schrijven."

Ze glunderde en na het gesprek ging ze achter haar computer zitten en schreef een mailtje terug. "Beste uitgever, bedankt voor je enthousiaste reactie. Ik ben daar ontzettend blij mee, maar ik moet je iets bekennen. Ik heb het niet uit mijn duim gezogen. Het is een waar gebeurd verhaal en het gaat over mijn eigen oma. Ik kan het pas uitgeven als 'Thom' dood is of als hij toestemming heeft gegeven en eerlijk gezegd weet ik niet wie hij is. In elk geval weet ik nu dat ik schrijven kan en daar ben ik blij om. Zodra ik een ander boek geschreven heb, neem ik weer contact met je op.'

Ze klikte op 'verzenden' en stuurde de e-mail weg. Nee, het speet haar niet dat ze het boek geschreven had en toch niet ging uitgeven. Het was een geweldige oefening geweest en wat nog veel belangrijker was, ze had oma's dood verwerkt en zelfs met de dood van haar moeder kon ze eindelijk echt omgaan. Ze had nog een uitgebreid gesprek met haar vader gehad, had hem verteld van haar bezoek aan de dronken automobilist en hoe erg de man eraan toe was. Tot haar verrassing en vreugde, was Roel toen ook naar de man toegegaan en al was het een ontzettend emotioneel bezoek geweest, het had beide mannen enorm goed gedaan. Ook Roel was er positief door veranderd en Monique kon daar natuurlijk alleen maar blij om zijn. Ja, ze voelde zich goed, ze kon de hele wereld aan en dat moest ook, ze was immers in verwachting!

Alleen dat laatste hoofdstuk, dat hoofdstuk waarin oma ging overlijden. Hoe zette je zoiets fatsoenlijk op papier? Maar ook dat zou ze schrijven. Voor zichzelf en voor oma. Wie A zei, moest B zeggen, had oma vaak genoeg gezegd en Monique zou het boek afschrijven tot het eind, alleen nu nog eventjes niet. Ze stond weer op, liep de trap af en pakte haar jas. Even mensen zien, dacht ze. Even op andere gedachten komen en dan begin ik wel aan het allerlaatste hoofdstuk.

Ze stapte in haar auto en reed naar de redactie van het tijdschrift waar ze al haar interviews voor schreef.

"Monique! Wat kom jij doen? Leuk je weer te zien!" Iedereen begroette haar enthousiast. "Zeg, wie is Fennique? Waarom die naam? Wanneer komt het boek uit?"

Monique straalde door de grote belangstelling. "Er is inderdaad een uitgever die het uit wil geven, maar ik heb heel ander nieuws."

"Wat dan?"

Ze keken haar nieuwsgierig aan.

"Ik ben in verwachting!"

Ze werd gefeliciteerd en gezoend en op de schouder geslagen. Monique bloeide helemaal op. Ze straalde en genoot van de belangstelling, maar na een uurtje ging ze weer weg. "Ik moet nog één hoofdstuk schrijven," zei ze glimlachend. "Een moeilijk hoofdstuk, maar jullie hebben me net de kracht ertoe gegeven. Bedankt en ik zie jullie wel weer!"

# 37

# Hoofdstuk 24

Vijf jaar woonde Fenna in haar appartementje. Thom zag ze nooit meer. Hij kon niet meer bij Marijke weg. Ze belden wel heel geregeld, omdat hij een mobiele telefoon had aangeschaft en een van zijn kinderen hem geleerd had hoe hij ermee om moest gaan. Dan zat hij in de gang, naast de deur van hun kamer en praatte lang en intens met Fenna. Ze spraken vaker dan ooit met elkaar, over de onbenulligste dingen en over leven en dood.

Fenna genoot van die gesprekken, ze werden het belangrijkste in haar dagelijks bestaan, want zo heel veel anders kon ze niet meer. Maar nooit zei ze nog dat ze naar hem verlangde, dat ze hem zien wilde, voelen, nooit spraken ze meer over hun liefde die sterker was dan alles verder in hun leven. *Woorden schieten immers te kort als ik zou moeten beschrijven wat ik voor je voel, wat ik na al die jaren nog voor je voel en ik wil je ook geen pijn doen, ik wil niet zeggen dat ik naar je verlang, dat mijn hart nog steeds naar je schreeuwt, want jij kunt niet anders dan bij Marijke blijven en Thom, het is goed, het is zo goed.*

Ze was in krachten hard achteruit gegaan, kon nog maar moeilijk lopen en als ze al een eindje aan de wandel ging, dan was het met een rollator. "Je kunt, geloof ik, beter een nieuwe heup krijgen dan dat je je heup breekt. Mijn buurvrouw hier, kreeg een nieuwe heup en die loopt weer als een kievit," vertelde ze Monique op een dag, want Monique was een trouwe bezoekster gebleven en niet zozeer om Fenna een plezier te doen, maar meer omdat ze zelf zo'n behoefte aan de bezoekjes aan haar oma had.

"Maar u lukt het niet meer zonder steun?"

Ze schudde haar hoofd. "Maar het geeft niet. Ik heb genoeg gelopen in mijn leven. Ik zit graag in deze stoel naar de wolken te kijken en te dromen over wat was, maar ook over wat komen gaat."

"Dat klinkt zo triest, oma."

"Nee, meisje. Het is goed zo. Mijn lichaam is op en ik heb veel om over te denken."

Monique keek haar ontzet aan. "Wat bedoelt u, oma? Op?"

"Precies wat ik zeg. Ik voel dat ik niet lang meer mee kan."

"Oma!" riep Monique uit. "Wat moet ik dan?"

Fenna glimlachte. "Op eigen benen staan, van je man genieten. Je bent vorig jaar getrouwd. Misschien krijg je wel kinderen. Dan heb je zoveel om voor te leven."

"Maar niemand om het aan te vertellen."

"Papier genoeg," zei Fenna met een geheimzinnige glimlach. "Je bent toch schrijfster? Schrijf je ervaringen op! En verkoop ze dan." Ze lachte. "Dan heb je er dubbel plezier van. Je verwerkt je gevoelens door ze op te schrijven en je verdient er ook nog eens een boterham mee."

"Oma, dat is toch raar?"

"Vind je? Elke auteur gebruikt dingen uit zijn of haar eigen leven. Dat valt volgens mij niet eens te voorkomen."

Monique keek haar grootmoeder peinzend aan en haalde haar schouders op. "Ik weet het niet, hoor."

"Mallerd, er zijn zo veel boeken met verhalen over bevallingen bijvoorbeeld of over mensen die hun ouders al vroeg kwijt zijn. Dat zijn toch ook boeken die geschreven zijn om hun persoonlijke dingen te verwerken en daarna krijgen ze er geld voor."

"Hm, u hebt misschien wel gelijk."

"Natuurlijk heb ik gelijk." Fenna glimlachte. "En als ik er dan niet meer ben? Wat zou jij dan willen hebben uit dit laatste restje van een lang bestaan?"

"Oma, daar wil ik niet eens over denken!" riep Monique uit.

"En ik wil dat je antwoord geeft."

Monique keek verward de kamer rond. Haar blik bleef op het ladekastje hangen. "Dat misschien? Voor mijn gevoel hoort dat zo bij u, dat ik altijd aan u zal denken als ik ernaar kijk."

"Goed, dan schrijf ik jouw naam daarbij. Het ladekastje is voor jou." Ze keek Monique warm aan toen ze dat zei en knikte haar indringend toe. Fenna wist dat haar geheim veilig zou zijn en niet in verkeerde handen zou vallen. Ze kon haar dagboeken houden tot op de laatste dag, want hoe bang ze ook voor ontdekking was, ze kon het niet over haar hart verkrijgen om alles te vernietigen wat ze ooit over haar lief geschreven had en ze had die boeken nodig tot op het moment dat ze ze niet meer lezen kon. Vaak zat ze er 's avonds in te bladeren en dacht ze terug aan hun ontmoetingen en ondanks het verdriet en het gemis, voelde ze zich rijk met de liefde die ze van Thom ontvangen had.

En toen kwam de griep. Sluipend, maar genadeloos. Fenna kreeg steeds hogere koorts en de verzorgers uit het bejaardentehuis wilden haar naar het ziekenhuis overbrengen, maar Fenna verzette zich. "Nee, ik wil hier sterven. Het is genoeg geweest."

"Maar u hebt longontsteking. U moet verzorgd worden."

"Nee, ik blijf hier. Het is genoeg."

Veel bezoek wilde ze niet meer, ook de telefoon nam ze niet meer op. Ze was er te moe en te ziek voor. Met een laatste krachtsinspanning en met behulp van een verzorgster schreef ze nog een keer met bevende, oude vingers in haar dagboek en klapte het toen voorgoed dicht. *Mijn lief, ik wil nog één keer schrijven dat ik van je houd, dat ik altijd van je gehouden heb, met mijn hele hart. Het ga je goed en ik zie je als je ook zover bent om de aarde te verlaten. Dan zullen we voorgoed verenigd zijn, zoals we in onze harten altijd al waren.*

Drie dagen later stierf ze. 88 jaar. Uitgeput, uitgemergeld, maar voldaan en tevreden over het leven dat ze gehad had. "Ik ga naar je moeder toe, Monique. Ik ga naar Laura," was het laatste wat ze zei. Toen sloot ze haar ogen.

De begrafenis was sober, zoals Fenna het gewild had. De zon scheen stralend, zoals Fenna het gehoopt had. De voorganger noemde Kees en hij noemde vooral Laura. Monique stak haar hand door de arm van haar vader en keek met grote, wazige ogen naar de kist. Huilen kon ze niet, nog niet, ze voelde zich verslagen.

Nadat ze de kist in de aarde hadden laten zakken, kwam de stoet weer langzaam in beweging en liepen de mensen in de richting van de aula voor een kop koffie en een gevulde koek.

Niemand zag dat de oude, eenzame man, die eerst onopvallend tussen de struiken had gestaan, leunend op zijn stok, naar de kist toe wankelde en daar door zijn knieën ging. Hij stak zijn hand uit, kon net de kist aanraken en bleef zo een poos in alle stilte zitten. Zijn gezicht stond warm en verdrietig tegelijk, tranen gleden over zijn wangen en drupten in de aarde. "Rust in vrede, lief, ik kom."

Niemand zag hoe hij moeizaam overeind kwam en met gebogen hoofd de begraafplaats verliet en in een wachtende taxi stapte. De man, van wie ze zo gehouden had, die ze nooit echt had kunnen krijgen en ook nooit meer echt krijgen zou hier op aarde, want Fenna was niet meer.

Haar gevecht was voorbij.

# 38

Drie maanden later vond Monique een rouwkaart bij de post. Ze was al lang weer ijverig mensen aan het interviewen, ze was al een paar maal bij de verloskundige geweest en ze begon zelfs al een buikje te krijgen. Verward keek ze naar de envelop met het grijze randje en probeerde ze te bedenken wie er overleden kon zijn. Met zenuwachtige vingers scheurde ze hem open, want ze hield niet van dit soort post.

Carolien, de vrouw van Rinus Wagenaar was overleden. Ze was 86 jaar geworden.

Monique begreep niet waarom ze die kaart kreeg, want de namen zeiden haar niets, maar toen ze zag uit welke plaats de kaart kwam, ging er een schok door haar heen en zonder er echt bij na te denken, haalde ze oma's adressenboekje op uit het ladekastje. Daarin vond ze inderdaad beide namen, maar ze waren doorgekrast. Ze waren dus al overleden, althans dat had oma gedacht. Of misschien ook had oma geen enkel contact meer met hen gehad. Waarom kreeg zij, oma's kleindochter, dan nu een rouwkaart? Wat had zij met hen te maken? Het adres was trouwens anders dan in het boekje en Monique keek fronsend naar de overige namen die oma bij de W vermeld had. Haar blik viel op de naam 'Wagenaars' met een s erachter, alleen die naam, geen voornaam erbij, onduidelijk of het om een man of een vrouw ging en opeens begreep ze het. Carolien en Rinus Wagenaar waren verhuisd van het ene adres naar het bejaardentehuis op het andere adres, maar oma had de moeite niet genomen of de zin niet gehad om hun beider namen opnieuw op te schrijven en had zich beperkt tot 'Wagenaars'. En die 'Wagenaars' had ook een rouwkaart gekregen toen oma overleed, want dat had iedereen die niet was doorgestreept en opeens bekroop Monique een opwindend gevoel. Zou hij het zijn? De geheime liefde uit oma's leven? Ze had die naam nooit aan oom Ben voorgelegd, omdat ze er steeds vanuit gegaan was dat het een persoon alleen was en dus Thom niet kon zijn, maar nu voelde ze de kriebels van de opwinding en de spanning en glimlachend legde ze haar hand op haar buik.

Voor de tweede keer in korte tijd reed ze naar Vlaardingen. Nu niet om iemand te interviewen of om het vorige huis van oma Fenna te zien. Nu ging ze om iemand te begraven. Ze had een enkele witte roos bij zich, omdat ze dacht dat oma dat ook gedaan zou hebben. Stil nam ze plaats in de ruimte waar de afscheidsdienst gehouden werd en stil stond ze op toen na de dienst de kist de aula uit werd gedragen. Een oude man liep achter de kist. Met de ene hand leunde hij op zijn stok, aan de andere kant werd hij ondersteund door een jongere vrouw.

Monique keek naar hem en zonder dat hij iets gezegd had, wist ze eigenlijk zeker dat hij het was. Hun blikken ontmoetten elkaar en ze zag een schok door hem heengaan, toen volgde er een warme lach.

Na de begrafenis op het kerkhof ging ze met de anderen mee naar het zaaltje waar ze koffie kregen. Ze ontdekte dat hij naar haar zat te kijken en ze zag blijdschap in zijn ogen.

Toen bijna iedereen weg was en Monique het gevoel had dat ze echt niet langer kon blijven zitten, stond ze op en liep ze op hem af. Ze wilde vragen of ze elkaar nog ontmoeten konden, maar hij was haar voor. "Ga je nog even mee naar mijn huis?"

Ze knikte en voelde de blijdschap in haar hart. Hij was het. Het kon niet anders.

Zijn kinderen keken bevreemd op dat hij een wildvreemde jonge vrouw mee wilde nemen naar huis, maar hij hield vol en Monique reed in haar auto achter de andere auto's aan.

"Gaan jullie maar naar binnen, zet nog maar wat koffie. Ik wil even met Monique praten." Hij wees naar een stoel die vlak bij de deur van zijn kamer stond. "Ga zitten."

"Nee," lachte Monique, "ga zelf zitten. Ik haal die stoel wel op." Ze ging naast hem zitten en keek hem glimlachend aan.

"Hier zat ik de laatste jaren altijd als ik met je oma belde, hier in deze stoel, op deze plaats en met dat uitzicht."

Monique keek in de richting waarin hij wees en zag de wolken aan het raam voorbijgaan.

"Je hebt haar horloge om." Hij keek verrast en blij.

Monique knikte. "Ik had het liever met haar begraven, want het hoorde zo bij haar, maar dat vond oom Ben niet goed."

"Hij heeft gelijk. Nu kan het door blijven tikken…"

"… terwijl oma's hart het niet meer doet."

Even keken ze elkaar zwijgend aan, toen begon hij weer te praten. "Je lijkt sprekend op haar. Toen ik je zag op de begrafenis van Fenna, schrok ik bijna van je. Je lijkt zo op haar dat ik dacht dat zij het was in haar jonge jaren. Ik ben blij dat je gekomen bent, want ik moest je vertellen dat mijn vrouw niet meer leeft…" Hij haalde verontschuldigend zijn schouders op. "Je vindt het misschien gek…" Zijn stem begaf had.

"Omdat u eindelijk vrij bent…"

Hij zweeg, maar ze zag de gekwelde blik in zijn ogen. En ze wist dat ze 'Thom' gevonden had! "U hield van haar."

Er verscheen een glimlach rond zijn lippen. De blik in zijn ogen werd weemoedig.

"En zij van u," zei ze bijna teder.

Nu schudde hij zijn hoofd. "Ze heeft van mij gehouden," sprak hij bijna onverstaanbaar, "maar dat was voorbij. Het mocht niet, het kon niet. De laatste tijd was ze alleen nog maar een goede vriendin."

"Nee," zei Monique fel. "Ze hield nog steeds van u. Tot op de laatste dag van haar leven hield ze van u en nu nog steeds."

Hij keek verrast op. "Hoe…?"

"Ze heeft u een brief geschreven. Ze had alleen uw naam er niet op gezet, daarom kon ik u niet vinden." Ze bukte zich en haalde de drie dagboeken uit haar tas. Ze zocht naar de allerlaatste aantekening. "Dit schreef ze drie dagen voor haar dood: *Mijn lief, ik wil nog één keer schrijven dat ik van je houd, dat ik altijd van je gehouden heb, met mijn hele hart. Het ga je goed en ik zie je als je ook zover bent om de aarde te verlaten. Dan zullen we voorgoed verenigd zijn, zoals we in onze harten altijd al waren.*"

Ze keek naar hem, zag dat zijn ogen vochtig geworden waren. Ze legde een hand op de zijne, op de gerimpelde, verweerde hand. "Fenna," fluisterde hij. "Fenna, ik kom. Ik kom heel gauw."

Meteen de volgende dag fietste Monique naar oma's graf. Stil stond ze een poosje naar de steen te kijken, toen ging ze op haar hurken zitten. "Oma, ik heb hem gevonden. Ik heb uw lief gevonden en ik heb hem uw dagboeken gegeven. Na het lezen zal hij ze aan me terugsturen zodat zijn kinderen ze niet vinden en oma, dan ga ik ze vernietigen, zodat oom Ben ze ook niet krijgt. Ik heb uw lief niet gezegd dat ik er een boek van heb geschreven. Ik kon hem dat niet aandoen, want hij had zo'n gekwelde uitdrukking in zijn ogen toen ik hem de laatste regels uit uw dagboek voorlas. Oma, hij hield echt van u! En ik begrijp u, want hij was lief, heel lief." Ze zuchtte en kwam overeind. "Mijn buik begint al in de weg te zitten, oma. Weet u, ik zal u een geheimpje verklappen. Alleen Bart weet het, verder niemand nog. Ik heb een echo gehad en het wordt een jongetje en we noemen hem Thom. Bart vindt dat ook een mooie naam en u?" Ze glimlachte. "Ooit zal ik wel eens bij de gemeente Vlaardingen gaan vragen of hij al overleden is, ik weet nu immers zijn echte naam, en dan geef ik ons boek uit, maar pas als Thom echt bij u is oma, eerder niet. En natuurlijk krijgt u in het boek ook een andere naam. Is dat goed?"
Ze keek naar het graf, naar de planten die erop gezet waren, naar de namen op de steen en zuchtte opnieuw. "Oma, ik mis u, maar u bent bij moeder en dat is goed. Dag oma Fenna!"

Een maand later lag er er een dikke envelop in Moniques brievenbus. Het briefje dat erbij zat, was nauwelijks te lezen, maar er stond 'Bedankt en ik ben gauw bij haar.' En dat was waar want slechts twee weken later vond ze een rouwkaart bij de post. Nu was Rinus overleden. 'Moegestreden' stond er bovenaan de kaart, 'Moegestreden, maar in alle rust stierf onze lieve vader, opa en overgrootvader Rinus Wagenaar, sinds kort weduwnaar van Carolien.'
Monique glimlachte warm. En al heel lang geliefde van Fenna,

voegde ze in stilte toe.

Moegestreden. Het was het enige juiste woord. Ook zíjn gevecht was voorbij. Fenna en Thom waren eindelijk bij elkaar.